Dyfal Donc

Cynnwys

Cydnabyddiaeth

Ym mis Hydref 2004, a minnau'n ystyried testun i ysgrifennu amdano, dechreuais draethu am fy mhrofiadau yn ystod tridegau'r ugeinfed ganrif. Darllenwyd f'ymgais gyda diddordeb gan Nia Rhosier, a'm cynghorodd i barhau gyda'r gwaith. Felly y ganwyd Dyfal Donc. Cadwodd Nia lygad barcud ar f'ymdrechion ar hyd y daith, a thyfodd fy mewnwelediad i'r iaith Gymraeg o ganlyniad i wybodaeth Nia, ei phrofiad, a'i chariad dwfn at ei mamiaith, a rhannodd bopeth gyda'i haelfrydigrwydd arferol.

Hoffwn gydnabod hefyd waith ac amynedd Carol Williams, gramadegydd a charwr llên, fy nhiwtor diwyd ers dechrau f'astudiaeth o ddifri o'r iaith Gymraeg ym mis Mai 2000. Dywedir bod rhywfaint o'r tiwtor ymhob dysgwr – gobeithio mai felly y bu!

Dylwn hefyd sôn am Pamela Towlson, oedd â diddordeb mawr yn y stori, ac a gyfrannodd awgrymiadau call o dro i dro o ran dewis geiriau.

Gwyn fy myd gyda ffrindiau o'r fath, gyda'u doethineb a'u hamynedd di-baid at f'obsesiwn gyda geiriau ac ysgrifennu. Hoffwn ddatgan fy ngwerthfawrogiad mawr o gyfraniad a chefnogaeth hael pob un ohonynt.

H.H.
Mai 2006

Rhagair

Pleser o'r mwyaf yw i mi gyflwyno gwaith un a lwyddodd i ddysgu Cymraeg mor dda, ac a ddewisodd rannu ei phrofiadau a rhai o'i theimladau dyfnaf â ni yn yr hunangofiant hynod hwn. Er i'r awdur gyhoeddi darn o hunangofiant yn Saesneg ym 1998, nid digon ganddi oedd cyfieithu hwnnw i'r Gymraeg; rhaid oedd creu o'r newydd yn ei hiaith newydd, a hithau'n prysur feddwl ac ymglywed â swyn a synau yn yr iaith honno.

Cyhoeddodd Hilda Hunter, ar ei chost ei hun, lyfryn bach dan y teitl *Pethau Cudd* ym Medi 2004, gan nodi mai i Gronfa Hen Gapel John Hughes, Pontrobert yr oedd yr holl elw i fynd, ac mi gefais i'r fraint o lunio pwt o ragair i hwnnw, ei hymgais cyntaf i lunio ysgrifau yn y Gymraeg.

Fel y nodais bryd hynny, roeddwn eisoes wedi synhwyro imi gael y fraint o ddod ar draws cymeriad hynod, a bu darllen ei hunangofiant yn Saesneg, *Unto the Hills* (a gefais yn anrheg ganddi) yn gadarnhad o hynny. Ymysg y pethau clodwiw a ddywedwyd ar y pryd am y gyfrol roedd sylw Charles Cleall, ffrind a chyd-gerddor, yn ei ragymadrodd: *"Your strength of mind and character shines from every page..."*

Gwelwn y nodweddion hyn ar dudalennau *Dyfal Donc,* a chawn gyfle i weld trwy lygaid Hilda a phrofi o'r wefr a deimlai o fedru dweud hanes ei bywyd difyr a chyffrous trwy gyfrwng yr iaith Gymraeg. Y mae ei dyfalbarhad a'i hymroddiad yn esiampl i bawb ohonom ac yn ysbrydoliaeth i bob dysgwr.

Cawn yma, nid yn unig hanes bywyd a gyrfa cwbl arbennig, ond hefyd elfen o gyfriniaeth ynglŷn â'r ysfa i feistroli'r Gymraeg a hithau 'mewn gwth o oedran'. Dengys ei llwyddiant nad oes a wnelo oedran ddim oll â'r hyn y gellir ei gyflawni os yw'r ewyllys yn dymuno hynny. Yng ngeiriau un o'i harwyr, T H Parry-Williams: "Ei bennaf nod [sef saer geiriau] ydyw dal a mynegi rhywbeth yn gofiadwy, a'r hyn y mae hynny'n ei ddatguddio gliriaf yn aml ydyw ei anian ef ei hun" (*Geiriau*).

Dyma anian cwbl gofiadwy – darllenwch a mwynhewch!

Nia Rhosier

Pennod 1

Tocio adenydd

"Beth wyt ti am ei wneud rŵan?" gofynnodd ein hathrawes i'm cyfeilles ar ddiwedd ein tymor olaf yn yr ysgol uwchradd. Dw i'n cofio fod y diwrnod yn gynnes a heulog – diwrnod braf tua diwedd mis Gorffennaf 1937.

Roedden ni newydd ddod o'n cyfarfod boreol diwethaf. Fel arfer, roedd dagrau wedi cael eu bwrw yn ystod canu'r emyn: 'Dan dy fendith wrth ymadael, / Y dymunem Arglwydd fod', yn ôl traddodiad ein rhagflaenwyr ar ddiwedd rhyw saith mlynedd o waith caled a bywyd hapus iawn yn yr ysgol hon. Erbyn hyn, roedden ni wedi adfer ein hunanfeddiant, ac roedd y chwech ohonom yn edrych ymlaen at brofiadau newydd – neu, yn hytrach, y lleill i gyd, ond nid fi fy hun. Roeddwn i'n bryderus iawn am y dyfodol.

Doeddwn i ddim wedi penderfynu beth y byddwn yn ei wneud ar ôl i mi adael yr ysgol. Flwyddyn ynghynt, roeddwn i wedi ceisio – ac wedi llwyddo yn y diwedd – i gael blwyddyn ychwanegol yn yr ysgol. Roedd fy rhieni yn fodlon ar y syniad, serch gwrthwynebiad fy chwaer hŷn – llais cryf yn y teulu. Ond bellach, dyma'r diwedd, a doedd dim ffordd arall imi. Er bod hi'n amhosibl imi fynd i'r brifysgol, roeddwn ar y funud olaf wedi sefyll – ac wedi llwyddo i basio – arholiad y gwasanaeth sifil, heb syniad o beth fyddai o 'mlaen.

Atebodd fy nghyfeilles, yn llawn cyffro: "Rydw i am fynd i'r brifysgol i astudio Ffrangeg. Cyn imi fynd yno, mi af i i Ffrainc am fis i wella fy sgwrs. Wedyn, bydd y tymor yn dechrau ym mis Hydref." "Da iawn wir," meddai'r athrawes.

Trodd ataf fi, gan ofyn: “A beth wyt ti am ei wneud?” “Rydw i wedi cael gwaith yn Swyddfa’r Post yng nghanol Birmingham fel telegraffydd,” atebais, heb frwdfrydedd. “A phryd fyddi di’n dechrau?” “Ddydd Llun nesaf,” atebais, yn drwm fy nghalon. (Dim siawns i mi fynd ar wyliau!) Teimlwn yn bryderus dan fygythiad y dyfodol tywyll – wedi fy ngollwng ond heb fendith.

Y bore Llun wedyn, cefais fy hun yn yr orsaf y bûm yn ei gadael bob dydd am saith mlynedd hapus iawn i fynd i’r ysgol tua’r gorllewin. Y tro hwn, roeddwn yn aros ar y platfform gyferbyn, er mwyn mynd tua’r dwyrain, tuag at Birmingham. A dyna fi, ferch unig, ymhlith tyrfa o bobl â’u hwynebau yn ddiflas ac anniddorol. A fyddwn i’n dod yn un ohonynt? Doedd gen i ddim awydd. Ond doedd gen i ddim dewis ond mynd ymlaen. Daeth y trên. Ar ôl hanner awr o daith ddigyffro trwy’r Ardal Ddu, daeth twr o bobl allan o’r trên a’r orsaf, gan ddechrau teithio i’w gwaith i bob cyfeiriad.

Mi gerddais i Swyddfa’r Post – adeilad Fictoraidd, wedi ei dduo dros amser â mwg, yn anneniadol iawn. Deuthum o hyd i ddrws ac mi fentrais i mewn, yn drwm fy nhroed. Gofynnais i’r porthor sut i fynd i’r ysgol delegraffyddol. “Ewch i fyny’r grisiau i’r pedwerydd llawr, trowch i’r dde, wedyn yr ail dro i’r chwith ac mae’r drws yn syth o’ch blaen,” atebodd, mewn llais diflas.

Mi es i fyny grisiau concrid tywyll a llychlyd rhwng waliau gwyrdd tywyll. Pan agorais ddrws yr ysgol delegraffyddol, trawyd fy nghlust gan sŵn ofnadwy llawer o deledeipiaduron – a minnau’n gerddor ifanc sensitif i sŵn ac yn gyfarwydd â llonyddwch yr ysgol uwchradd yn y wlad!

Mi gyflwynais fy hun i diwtor yr ysgol wrth iddo agosáu ataf, yn ddyn mawr a chyfeillgar, yn groes i’m disgwyl. “Bore da, a chroeso, a dyma fy nghyd athrawes, Miss Gossage. Wyt ti wedi clocio i mewn?” gofynnodd. “Nac ydw,” atebais. “Tyrd gyda fi; wna i ddangos i ti sut i wneud. Dyma dy rif – rhaid pwnio'r cloc fel hyn bob bore." Teimlwn mai dim ond rhif oeddwn i bellach. Beth nesaf?

Yn ôl i'r ysgol, lle roedd llawer o ferched yn gweithio. Cefais fy nghyflwyno gan Mr Harkness i un ohonynt – merch o'r enw Pat – a dywedodd wrthi am ddangos i mi, yn hwyrach, ble roedd yr ystafell fwyta ac ati. Rhoddodd Mr Harkness olwg oddi uchod i mi ar sut roedd dysgu gweithio teledeipiadur, sut i anfon a chodi telegram, a sut i ddeall symbolau mewn telegram er mwyn ei anfon i dref arall.

Roedd gan bob myfyriwr dri mis yn yr ysgol i gael cymhwyster fel telegraffydd, dod yn alluog i anfon chwe deg o delegramau yr awr, heb wylio'r bysedd a heb wneud mwy na dau gamgymeriad gan fod y telegramau yn anweladwy ac eithrio mewn teledeipiadur mewn tref bell, a chodi wyth deg o delegramau ar dâp, eu gludio ar ffurflenni, eu harolygu a'u llofnodi. (Doeddwn i erioed wedi gweld mwy nac un telegram, ond dyma gannoedd ohonynt!)

Pan ddaeth yn amser i ni gael paned, roedd yn rhaid i ni gerdded yn gyflym am dair munud, ar hyd coridorau, i fyny grisiau ac ar draws y bont dros Stryd y Bryn, i gyrraedd adeilad arall Swyddfa'r Post, lle roedd yr ystafell fwyta. Roedd pymtheng munud union i amser paned, bob bore a phrynhawn, a phedwar deg munud i gael cinio, ar adegau penodol. Ar wahân i hynny, ni chaniateid i ni adael yr ystafell weithio o gwbl. Doedd dim cyfle i ni flasu awyr agored trwy'r dydd. Deuai dyn oedrannus ddwywaith y dydd i chwistrellu diheintydd o un pen i'r llall o bob ystafell, yn drylwyr dros bawb a phopeth.

Ar ddiwedd yr wythnos, derbyniais fy amlen gyflog gyntaf – deuddeg swllt a chwe cheiniog – digon i dalu am deithiau a bwyd. Ar y ffordd adref, mi brynais gwdyn gwau, gan obeithio y byddai gwau yn gwneud i'r amser ar y trên basio'n gyflymach. Wrth imi gyrraedd adref, gofynnodd fy mam: "Beth am dy gyflog di?" "Dim ond deuddeg swllt a hanner," atebais, "a dw i wedi prynu cwdyn newydd ar gyfer fy ngwau." Disgwyliais ei chymeradwyaeth. "A beth am arian i mi?" gofynnodd. "Does dim dros ben," atebais, yn syfrdan. "Wel," meddai, "mae'n amser i mi ddisgwyl rhywbeth gennyt ti fel cyfraniad i gostau'r cartref rŵan." "O ddeuddeg swllt a hanner?" gofynnais. "Wel," atebodd, "erbyn meddwl, efallai y byddai'n well i ni aros nes i ti ennill cyflog llawn." "Ar ôl tri mis," atebais, "bydd fy nghyflog yn bunt deuddeg swllt a hanner yr wythnos, gyda chynydd o ddau swllt a hanner y flwyddyn."

O fewn tri mis, roeddwn i'n gymwys fel telegraffydd. Roedd yn rhaid imi lofnodi Deddf Cyfrinachau Swyddogol, a chael fy nghyflwyno gan Mr Harkness i 'waith byw' yn yr 'Ystafell Fawr'. Mi aethom ynghyd trwy ddrws tro, a dyna – unwaith eto – sŵn dychrynllyd; prin y gallwn glywed llais Mr Harkness yn disgrifio taith y telegramau drwy'r swyddfa uwchlaw twrw curo clonciog y teledeipiaduron.

Roedd yr 'Ystafell Fawr' yn enfawr. Rhyw wyth neu naw bwrdd llydan, gyda chwech o deledeipiaduron ar hyd pob ochr. Roedd pob peiriant wedi ei gysylltu â theledeipiadur mewn tref bellennig, ac roedd cod y dref honno wedi ei nodi'n glir ar bob peiriant. Roedd dau delegraffydd yn eistedd wrth bob peiriant, un i anfon a'r llall i godi telegramau. Rhedai beltiau symudol ar hyd canol pob bwrdd er mwyn cludo telegramau a ddeuai i law i felt symudol arall, ar ongl 90°, ar hyd yr ystafell, a'u cludo i le ailddosbarthu.

Roedd sawl gwraig – uwch-swyddogion – yn gyfrifol am ysgrifennu cod y ganolfan ailddosbarthu yn ôl cyfeiriad pob telegram, cyn eu gosod ar felt symudol arall i gyfeiriad bwrdd lle roedd teledeipiadur yn dwyn yr un cod. Yno, roedd negesydd ifanc yn casglu telegramau wrth iddynt ddisgyn oddi ar y belt symudol ac yn eu gosod o flaen telegraffydd y peiriant cod cywir, yn barod i'w hanfon ymlaen. Ar ben arall pob bwrdd roedd goruchwyliwr yn barod i ddatrys problemau a chydlofnodi pob archeb arian delegraffig.

Mi ddarganfûm, yn ddiweddarach, mai 'gweithwyr dros dro' oedd yr uwch-swyddogion; hynny yw, wedi eu penodi heb arholiad a felly heb statws 'sefydlog'. Roedd y rhan fwyaf ohonynt yn wragedd gweddwon, ac yn dal statws 'dros dro' ers y Rhyfel Byd Cyntaf, dros ugain mlynedd ynghynt. Yn ogystal â'r rheiny, roedd rhai dynion oedrannus hefyd yn weithwyr 'dros dro' – yn gweithio fel arfer ar delegramau o dramor oherwydd eu bod yn araf iawn yn gweithio ar deledeipiadur, a hwythau'n dod o gyfnod y cod Morse. Dw i'n cofio fel yr oedd pob copa walltog ohonynt yn defnyddio snisin, a fel roedd hynny'n creu oglau drwg.

Ar un pen i'r Ystafell Fawr roedd peirianwyr yn brysur yn atgyweirio teledeipiaduron diffygiol; roedd y rhain heb eu gorchuddion ac felly'n fwy swnllyd na'r rhai a ddefnyddid yn arferol. Gormod o beiriannau, gormod o bobl (telegraffwyr a goruchwylwyr) a sŵn annioddefol!

Roedd hysbysfyrddau ar hyd y mur, gyda rhestrau o rifau ac enwau. Tua diwedd pob wythnos, roedd yn rhaid i bob telegraffydd chwilio am ei rif dyletswydd ar gyfer yr wythnos ddilynol ac edrych ar restr arall er mwyn dod o hyd i fanylion y ddyletswydd. Roedd lle ac amser penodol ar gyfer pob munud o'r diwrnod. Ni chaniateid i rywun adael ei sedd nes i'r olynydd gyrraedd. Roedd y swyddfa'n rhedeg yn llyfn ac yn brydlon, gyda sylw i bob manylyn ac effeithiolrwydd – ond roedd yn hollol ddienaid. Yn ystod sgwrs efo'r merched eraill gwelais fod sawl un wedi ei dadrithio – fel yr oeddwn innau – yn wyneb y math yma o waith, ac ystyried ein haddysg a'n llwyddiant mewn arholiad anodd iawn.

Yn ffodus i mi ar yr adeg hon, roedd 'na un pelydryn o

oleuni yn fy mywyd diflas. Yn yr ysgol uwchradd, roeddwn wedi dysgu, gan Miss Eastwood, yr athrawes gerddoriaeth, sut i wneud a chanu pib fambŵ. Un diwrnod agored, roedd Miss Eastwood wedi chwilio am fy nhad er mwyn dweud wrtho fo fod ei ferch yn gerddor addawol. "Dw i'n meddwl eich bod chi'n siarad gyda'r dyn anghywir," meddai fy nhad. "Tad Hilda Hunter ydw i." Mynnodd Miss Eastwood wneud ei phwynt eto, a dw i'n credu i fy nhad gymryd sylw.

Awgrymodd Miss Eastwood i mi geisio canu obo. "Beth ydy obo?" gofynnais. "Mae'n offeryn chwyth cerddorfaol," meddai, a disgrifiodd yr obo yn fanwl. Ychydig wedi hynny, daeth fy nhad adref gydag obo wedi ei fenthyg gan gwmni *Stewarts and Lloyds* lle roedd o'n gweithio. Roedd cerddorfa'r cwmni wedi chwalu ers talwm.

Y dydd Sadwrn wedyn, yn ystod taith i gêm hoci oddi cartref, mi eisteddais wrth ochr yr athrawes chwaraeon. Holodd am fy ngherddoriaeth, a dywedais wrthi hi am yr obo nad oedd gen i ddim syniad sut i'w ganu. Dywedodd hithau mai perchennog y tŷ lle roedd hi'n byw, Mr Glover, oedd yr unig chwaraewr obo yn Stourbridge (lle roedd ein hysgol ni), ac addawodd bennu amser imi ei gyfarfod. Ychydig wedi hyn, cefais wersi ganddo. Yn fuan wedyn, deuthum o hyd i obo rhad (dim ond pedair punt!) mewn siop wystlo yn Birmingham a oedd enwog am ei hoffer rhad o gyfnod y Rhyfel Byd Cyntaf, yn lle yr obo fenthyg. Cefais fy nghyflwyno gan Mr Glover i Mr Edwards, arweinydd cerddorfa Stourbridge, a chefais wahoddiad i ganu obo yn y gerddorfa gyda Mr Glover. Ar ôl tri mis, ym mis Rhagfyr 1936, cenais yn fy nghyngerdd cyntaf – *Samson*, gan Handel.

Ymhen ychydig, a minnau'n dal yn yr ysgol, cyflwynodd Miss Eastwood fi i Lucy Vincent, chwaraewr ac athrawes obo yn Ysgol Gerddoriaeth Birmingham, a dechreuais gael gwersi efo hi yn ei thŷ. Gyda'i chyngor hi, a chyda chymorth fy rhieni, prynais obo da iawn, a gweithiais yn galed i wella fy nghrefft. (Mi werthais yr obo rhad yn ôl i siop wystlo am yr un pris ag yr oeddwn wedi ei dalu amdano!) Yn ystod fy nghyfnod yn Swyddfa'r Post, felly, byddwn, o dro i dro, yn llwyddo i gael gwers efo Lucy ar ôl diwrnod o waith – dihangfa werthfawr iawn imi yn y cyfnod hwn.

Cefais fy ngwyliau blynyddol cyntaf ym mis Mehefin 1938. Euthum i a fy chwaer ar daith ar gefn beic drwy Gymru, ein hoff wlad. Cychwynasom o'n cartref yn y Wlad Ddu, drwy Sir Amwythig, i Langurig, ymlaen i Raeadr, ac ar hyd yr hen ffordd dros y bryniau i Bontarfynach. Wedyn i'r de, trwy Lanbedr Pont Steffan a Chaerfyrddin. Oddi yno fe aethom i lawer o leoedd bach yn Sir Benfro. Yn ôl i'r gogledd trwy Abergwaun ac ar hyd arfordir Bae Ceredigion i Aberystwyth a chroesi Afon Ddyfi mewn hen long fferi o Ynyslas i Aberdyfi. Dros y bont i Abermaw, ar hyd ffordd yr A5 trwy Langollen i Amwythig, a thuag adref. Roedd yn daith o 453 o filltiroedd mewn deuddeng niwrnod. Mae gen i ddyddiadur sy'n cynnwys manylion y daith. Roedd y pris cyfartalog am swper, gwely a brecwast yn bum swllt a hanner y noson! Roedd y daith yn iachus iawn, ac yn addysgiadol. Roedd yn gas gen i fynd yn ôl, yr wythnos wedyn, i Swyddfa'r Post!

Ambell waith, ceid eiliad ysgafnach yn y Swyddfa – er gwaethaf anghymeradwyaeth y goruchwylwyr. Bob dydd, fe ddeuai cannoedd o delegramau yn cynnwys prisiau pysgod a fyddai'n cael eu cyfnewid rhwng Birmingham a'r porthladdoedd – rhestrau hir o rifau, diflas iawn. Yn Swyddfa'r Post Aberdaugleddau roedd telegraffydd hwyliog. Bob dydd, fe ddechreuai gyda chyfarchiad ar dâp (yn briflythrennau i gyd gan nad oedd dim arall ar y teledeipiadur): 'GM OM OWS WETHR IN BM?'. A'r ateb: 'GM OM GREY WET WINDY AGEN OWS URS?' Yntau wedyn yn ateb: 'LUVLI SUNI C CALM N BLU' cyn dechrau rhoi ei brisiau pysgod.

prifathro ysgol uwchradd Halesowen, amdano." Drannoeth, cefais alwad ffôn gan Mr Edwards. "Rhaid i ti fynd i Dŷ'r Ysgol er mwyn cael sgwrs gyda Mr Mander a llenwi ffurflen gais ar gyfer yr arholiad. Brysia – bydd yr arholiad yn fuan. Fe wnaiff o esbonio'n fanwl iti beth fydd yn rhaid i ti ei wneud i baratoi."

Roedd yn rhaid i mi drafod y mater gyda'm rhieni yn ddioed. Ar y dechrau, roedden nhw wedi synnu gormod i ddweud rhyw lawer, ond cyn hir fe ddechreuasant fy holi am y dyfodol petawn i'n gadael *S & L*. Erbyn hyn, mi allwn ateb gyda dadleuon Mr Edwards. Wedi meddwl am y peth, roedden nhw'n fodlon – er braidd yn betrus – i dderbyn cyngor oddi wrth rywun mor ddoeth a phrofiadol â Mr Edwards, ac ymhen dim, fe ddywedon nhw wrtha i am fynd.

Ar ôl i mi ymweld â Mr Mander, gofynnais am gael gweld Rheolwr Swyddfa a Phrif Swyddog Adran Gyflogau *S & L* (y dyn 'bach') gyda'i gilydd. Eglurais wrthynt fy mod angen amser (dau ddiwrnod) i sefyll arholiad er mwyn cael mynediad i brifysgol. Wedi meddwl am y peth, dywedodd y Rheolwr, "Mae hyn yn dipyn o ysgytiad i ni. Dydyn ni ddim am i chi adael y cwmni, ond rydych chi'n amlwg – fel arfer – yn benderfynol. Gyda llaw, beth am y cwrs Goruchwyliaeth rydych chi wedi bod yn ei ddilyn? A fydd hwn wedi'i wastraffu?" Atebais, "Does dim yn wastraff llwyr; mae o wedi dangos fy mod i am astudio, ond mae awydd gen i astudio pwnc mwy deniadol i mi, sef cerddoriaeth." Gofynnodd y dyn 'bach' a hunanbwysig i mi, gydag awgrym o watwar, "A beth nesaf os fyddwch chi'n methu yn yr arholiad?" "Cwestiwn damcaniaethol," atebais, wedi fy nigio gan ei agwedd sinigaidd. "Fydda i ddim yn methu yn yr arholiad!" ychwanegais, gan roi'r ergyd farwol i'r dyn 'bach'. "Wel," meddai'r Rheolwr, "erbyn meddwl, mae'n rhaid i chi achub ar y cyfle. Cymerwch y ddau ddiwrnod, a phob lwc i chi!"

Roedd 'GM OM' ('Good Morning, Old Man') yn ddull cydnabyddedig rhwng telegraffwyr. Dydy dull y negeseuon testun sydd mor gyffredin heddiw yn ddim byd newydd – roedd yn cael ei ddefnyddio yr un fath yn y tridegau!

Roedd haf 1938 yn gyfnod o weithgarwch a phryder gwleidyddol byd-eang. Roedd bygythiad rhyfel ar y gorwel. Tyfodd y fasnach delegraffig yn aruthrol, gyda thelegramau hir mewn cod ac adroddiadau'r wasg am beth oedd yn digwydd dros Ewrop ac enwedig yn yr Almaen. Daeth oriau ychwanegol yn orfodol (ar gyfradd o swllt a hanner yr awr i mi!). Un bore heulog ym mis Medi, fe gyrhaeddon ni'r Swyddfa i ddarganfod fod pob ffenestr a'r to gwydr cyfan wedi cael eu peintio yn ddu di-sglein; ac felly y buont am flynyddoedd.

Daeth y cyhoeddiad rhyfel ar y trydydd o fis Medi 1939. Cynhyrfwyd popeth. Roedd yn angenrheidiol inni weithio o leiaf un awr ar ddeg y dydd, chwe dydd yr wythnos, ac wyth awr ar ddydd Sul. Düwch ulw ym mhob man. Aeth trafnidiaeth gyhoeddus braidd yn annibynadwy a weithiau fe fyddwn yn defnyddio fy meic i deithio'r wyth milltir i'r Swyddfa. O leiaf roedd hynny'n gyfle i anadlu awyr iach.

Yn ystod 1940, daeth ymosodiadau o'r awyr i Ganolbarth Lloegr, yn enwedig yn ystod y nos. Gan amlaf, byddai fy mam yn paratoi swper syml, yn barod i ni ein pump ei fwyta mewn lloches o dan y tŷ, yn agored i'r ardd. Rhwng yr ymosodiadau, fe redai un ohonom i fyny'r naw gris i'r gegin er mwyn berwi llond tegell i wneud mwy o de. Roedd llai o amser – a chyfle – i ni gysgu.

O dipyn i beth, dechreuwn golli fy egni. Awgrymodd fy rhieni imi geisio cael swydd efo *Stewarts and Lloyds* – taith chwarter awr o'n tŷ. Roedd hyn yn groes i'r graen, ond roedd yn awgrym synhwyrol. Roedd fy chwaer hŷn eisoes yn ysgrifenyddes breifat i'r Rheolwr-Gyfarwyddwr, a gofynnodd hi am waith i minnau hefyd. Roedd y gwaith yn cael ei gyfri'n 'waith neilltuedig', fel gwasanaeth sifil; felly byddai yn bosibl imi symud.

Yn ôl yn Swyddfa'r Post, rhoddais fy rhybudd i'r prif oruchwyliwr. Yn y cyfnod hwn, roedd disgwyl i rywun gael 'swydd ddiogel' a'i chadw am oes. O'm rhan i, roeddwn wedi cael mwy na digon ar Swyddfa'r Post, ac wedi bod yn chwilio am ddihangfa ers y diwrnod cyntaf. "Wyt ti'n siŵr dy fod yn gwneud peth doeth?" gofynnodd y prif oruchwyliwr. "O safbwynt fy iechyd, dw i'n siŵr," meddwn. "A beth am y cyflog?" gofynnodd. "Dw i'n siŵr o ran cyflog hefyd," atebais. "A beth am y pensiwn ymddeol? Wyt ti am roi'r gorau i bensiwn da iawn?" "Dydw i'n ddim ond ugain mlwydd oed, a dwi'n poeni mwy am fy iechyd nac am bensiwn ymddeol ar hyn o bryd."

Ac, felly, fe symudais – heb lawer o frwdfrydedd unwaith eto – i swyddfa *Stewarts and Lloyds,* lle roedd swydd imi, ar yr amod fy mod yn dysgu llaw-fer a theipio gyda fy chwaer hŷn, a oedd yn athrawes drwyddedig mewn llaw-fer, ac yn gydwybodol dros ben. Digon tywyll oedd y rhagolygon imi, ond gobeithiwn mai hyn fyddai'r lleiaf o ddau ddrwg.

Daw hindda wedi drycin

"Bydd yn rhaid iti wisgo hon bob amser," dywedodd fy chwaer Doris, gan roi imi droswisg wyrdd tywyll. Hwn oedd fy niwrnod cyntaf yn Stewarts and Lloyds (S & L), a threfnwyd fy mod i rannu swyddfa â Doris a'i chydweithwraig, yr oeddwn eisoes yn ei hadnabod ers dyddiau Ysgol Sul, amser maith yn ôl. Disgwyliai'r rheolwr i Doris roi help llaw i mi yn ôl yr angen, yn enwedig wrth i mi symud o deledeipiadur i deipiadur.

Ychydig cyn imi ddechrau gweithio yn swyddfa *S & L*, bu anghytundeb rhyngof i a Doris. "Bydd yn rhaid i ti roi'r gorau i'r ysgrifen ffôl yna rwyt ti wedi'i dysgu yn yr ysgol uwchradd, a dysgu ysgrifennu fel rhai mewn oed," dywedodd. "Byth, bythoedd!" atebais. "Does neb erioed wedi cwyno am f'ysgrifen – hyd yn oed yn y gwasanaeth sifil; i'r gwrthwyneb, cefais fy nghanmol arni. Os bydd rhywun heblaw ti yn cwyno, efallai y gwna i ystyried – ond efallai ddim."

Yn ddiweddarach, yn y swyddfa, gyda Doris yn gwylio fy myseddu ar y teipiadur, dywedodd: "Yn gyntaf, mae'n rhaid i ti newid i fyseddu yn fanwl gywir; rwyt ti'n byseddu mewn ffordd addas i deledeipiadur – ond nid i deipiadur. Rhaid i ti ddefnyddio 'allweddau arweiniad' ychwanegol. Hynny yw, rhaid ailddechrau dysgu teipio." "Mi gymer amser hir i mi ddad-ddysgu ac ailddysgu," dywedais. "A beth bynnag, wela i ddim diben i'r peth!" "Fyddi di byth yn deipyddes dda iawn!" atebodd. "Boed felly!" dywedais. "Rwyt ti'n styfnig!" meddai. "Does dim dwywaith amdani," atebais.

Roedd dyn yn y swyddfa drws nesaf wrthi'n ysgrifennu llyfr yn disgrifio ffurfiant a gweithgaredd cwmni a oedd newydd gael ei sefydlu oddi mewn i'r cwmni gwreiddiol. Gan hynny, parhâi *S & L* i wneud pibellau dur, tra oedd *New Crown Forgings* yn gyfrifol am arfau rhyfel. Rhoddwyd y gwaith o deipio'r llyfr hwn i mi. Roedd gan John Imrie ysgrifen fel traed brain, ac roedd yn anodd iawn i mi ei ddarllen – yn enwedig gan na wyddwn i'r nesa peth i ddim am y pwnc a bod gen i lai fyth o ddiddordeb ynddo. Drwodd a thro, ni fwynheais y gwaith hwn, ond ymhen hir a hwyr, daeth y dasg i ben. Erbyn hynny, roedd yn bryd i mi symud i swyddfa arall.

Yn ddiweddar, fe ailgyfarfûm â John Imrie. Yn ystod sgwrs efo fy nghyfeilles, Gwen, a hithau'n 97 oed ac yn byw mewn cartref henoed yn Wolverhampton, dywedodd Gwen, "Dw i'n disgwyl ymweliad gan fy ffrind, John, yfory. Mae o'n dod bob wythnos gyda newyddion o'r eglwys, lle mae o'n cadw popeth mewn trefn. Mae o'n alluog iawn, ac yn barod i droi ei law at unrhyw beth." "Pwy ydy John?" gofynnais. "Beth ydy ei gyfenw o?" "John Imrie. Fy nghymydog cyn i mi symud yma, i'r cartref henoed," atebodd Gwen. "Wyt ti'n ei adnabod o?" "Mae'n annhebyg fod mwy nac un John Imrie," meddwn i, "ac mi roeddwn i'n adnabod un oedd yn gweithio i *S & L* yn ystod yr Ail Ryfel Byd." Cyn gyflymed â'r gwynt, gofynnodd Gwen, "A fyddi di'n dod i 'ngweld i ddydd Mawrth nesaf?" "Byddaf," atebais. "Mi wna i'n siŵr y bydd John yma eto!" meddai Gwen, â'i llygaid yn pefrio.

O ganlyniad, fe welsom ein gilydd unwaith eto, gyda chofion a chofleidiau – ar ôl trigain mlynedd! Roedden ni wrth ein bodd yn ailgyfarfod a sgwrsio am beth oedd wedi digwydd i ni'n dau ers y pedwardegau, a gwelsom ein gilydd sawl gwaith wedyn, gyda Gwen. Ychydig flynyddoedd yn ôl, gwelsom ein gilydd am y tro olaf – John a fi – yn angladd Gwen, yn 99 oed.

Doedd Doris a fi ddim bob amser benben â'n gilydd, ond

roedd ein safbwynt wastad yn wahanol – i ryw raddau, ac weithiau'n ddifrifol. Pan fyddai hi'n gyfleus i mi wneud hynny, fe wrandawn ar ei chynghorion, ac weithiau, byddwn yn gweithredu yn ôl ei chyngor – ond nid yn aml iawn. Mi ddysgais gryn dipyn o fanylion technegol ynglŷn â chyffwrdd-deipio – sut i benderfynu ar ganoli teitlau, cynllun tudalennau ac ati – ynghyd â manylion sylfaenol llaw-fer. Ond y mae'n anodd iawn dysgu aelod arall o'r un teulu, ac weithiau gall hynny fod yn drychinebus. Dechreuwyd y gwersi llaw-fer gartref. Roedd gen i ddiddordeb yn egwyddorion sylfaenol y dull, ac os oedd yr astudiaeth am fod yn ddefnyddiol i mi, roeddwn am ei dysgu'n drylwyr. Ond cyn i mi ddeall yn iawn sut i ysgrifennu geiriau syml hyd yn oed yn fanwl gywir, mynnodd Doris 'mod i'n dechrau ysgrifennu'n gyflym.

Dadleuais y byddwn yn siŵr o wneud camgymeriadau gan na allwn i ddim eto sgrifennu amlinellau yn gywir. "Does dim ots," meddai Doris. "Mae'n rhaid i ti ddysgu symud dy law yn gyflym, waeth be fo'r canlyniadau. Mae cywirdeb yn wahanol i gyflymder, ac mae cyflymder yn bwysig iawn." "Rydw i'n anghytuno," meddwn innau. "Petawn i'n caniatáu i'm cyhyrau wneud symudiadau anghywir, byddai'n anodd iawn, iawn eu newid nhw wedyn. Mi wn i hynny o fod wedi canu piano ac obo, ac mi alla i symud fy llaw yn gyflym wrth eu canu." Roedd hynny fel cadach coch i darw. "Llaw-fer ydy hyn – anghofia am dy gerddoriaeth wirion. Mae cerddoriaeth yn fater hollol wahanol – dim ond chwarae ydy hynny; gwaith ydy hyn, ac mae'n rhaid i ti wneud yn union fel dw i'n dweud. Cofia, mae'n rhaid i ti ddysgu llaw-fer." "Allwn i byth ddysgu yn ôl cyfarwyddiadau sydd wedi eu seilio ar egwyddorion anghywir," atebais. "Rwyt ti'n annysgadwy," dywedodd, "a dw i wedi cael digon. Chwilia am diwtor arall." Gyda hynny daeth y gwersi cartref i ben.

Yr wythnos wedyn, symudais i swyddfa arall lle roedd

teipyddesau eraill. Roedd tair ohonynt yn rhan o Adran y Prynwr a fi oedd y drydedd yn yr Adran Gostau. Cofiaf mai'r chweched o Ragfyr 1940 oedd hi – diwrnod fy mhen-blwydd yn un ar hugain, ond soniais i ddim am hynny. Roedd gennym ffrwyth tun i de gartref – peth amheuthun yn 1940.

Yn y swyddfa, ces fy nghyflwyno i Megan, a oedd yn hŷn na mi. Roedd hi'n ddymunol ac roedd yn rhaid i ni rannu gwaith, gan cynnwys copïo dalennau o rifau mewn bocsys bychan, chwe chopi gyda'i gilydd, gan ddefnyddio teipiadur a oedd â chludwr enfawr, trwm, a swnllyd iawn. Roedd cywiro camgymeriadau yn waith trafferthus iawn. Felly, roedd yn rhaid i mi ganolbwyntio, er bod y gwaith yn hollol ddiflas. Roedd Megan, ar y llaw arall, yn brofiadol iawn – ac yn glebren o fri. Wedi rhai misoedd, cefais lond bol arnynt – ar y gwaith ac ar Megan. Roeddwn ar ben fy nhennyn. Gofynnais i'r Rheolwr Swyddfa a gawn i newid i wneud gwaith gwahanol. "Beth hoffech chi ei wneud?" gofynnodd. "Hoffwn i weithio gyda Mr Munslow" atebais. Derbynnydd arian oedd Mr Munslow –dyn unig ac oedrannus; parchus ond amhoblogaidd. Doedd neb yn awyddus i weithio gyda fo gan ei fod mor anodd ei blesio. Felly, roedd yn hawdd i mi gael fy symud.

Mi weithiais am sawl blwyddyn gyda Mr Munslow. Rhannem swyddfa breifat ac roeddwn yn hapus yn gweithio'n dawel gyda rhifau, â chyn lleied o deipio â phosibl. Roeddwn i'n hapus yn cael gweithio ar fy mhen fy hun o bryd i'w gilydd. Bob yn dipyn, ymgymerais â'r cyfrifoldeb am gyflogau staff.

Roedd gan Mr Munslow ddiddordeb mewn cerddoriaeth, a diddordeb hefyd yn Eglwys Blwyf Halesowen, lle roedd Frank Edwards yn organydd, a chefais wersi ganddo. Mi gefais anogaeth fawr gan Mr Munslow i ddal ati gyda fy ngherddoriaeth, a thrafodwn gerddoriaeth gyda fo yn aml iawn.

Ar ôl sawl blwyddyn, aeth Mr Munslow yn wael, a bûm yn gweithio yn gyfan gwbl ar fy mhen fy hun, hyd yn oed yn ystod cyfnod y newid mawr o'r system dreth incwm i'r gyfundrefn newydd, 'Talu-tra'n-ennill', oedd yn ei gwneud hi'n angenrheidiol cael ffordd newydd o gyfrif gostyngiadau mewn cyflogau. Llithriwl oedd y gyfrifiannell a ddefnyddid bryd hynny!

Ymhen ychydig, ymddeolodd Mr Munslow. Roedd ei olynydd yn ddyn 'bach' – yn llond ei esgidiau, ac yn hollol wahanol i Mr Munslow. Roedd o'n ddigon dymunol wrthyf fi gan ei fod yn dibynnu braidd arnaf am wybodaeth. Llwyddem i weithio yn ddigon da gyda'n gilydd beth bynnag.

Treuliais y rhan fwyaf o hanner canrif cyntaf fy mywyd yn byw gartref gyda'm rhieni ar ffordd 'Highfield'. Croeswn yr 'High Fields' wrth gerdded i fy ngwaith yn *S & L* bob dydd. Drannoeth un cyrch awyr, cefais fy hun yn edrych yn bwyllog, a chyda phleser, hwnt ac yma dros yr ardal – fel pe bai'n ddieithr i mi – gan fy mod yn ymwybodol o'r newid a allai ddigwydd yn sgil y bomio. Fel y dywedodd Syr T H Parry-Williams (*Dieithrwch,* 1927): 'Dysgais fod yn falch o deimlo newydd-deb dieithr yr hen bethau cynefin ac ymhoffi ynddo...'

Yn y cyfnod hwn, ar ôl i mi symud o'r Swyddfa Bost i *S & L,* gallwn ddal ati yn haws gyda cherddoriaeth. Roedd fy oriau gwaith bellach yn rheolaidd ac roedd yn haws i mi fynd i ymarferion cerddorfa, a gynhelid bob prynhawn Sul er mwyn i'r aelodau gael osgoi teithio yn y tywyllwch. Byddwn hefyd yn cael gwersi gan Lucy (ar yr obo) a Frank Edwards (ar y piano, yr organ a'r gynghanedd).

Ymhen hir a hwyr, lleihaodd yr ymosodiadau o'r awyr a dechreuodd popeth ddod yn well. Cenais mewn cyngherddau amrywiol yn yr ardal, serch fod teithio yn anodd iawn. Cynhelid gwasanaethau crefyddol fel arfer ar brynhawn dydd

Sul, ac roedd un gyfres o gyngherddau yn cael ei chynnal ar ôl gwasanaethau a hynny bob amser ar noson leuad lawn, er mwyn hwyluso taith y gynulleidfa.

Ym 1943, cefais ddiploma LRAM fel oböydd. Yn fuan wedyn, daeth gwaeledd a marwolaeth arweinydd Cerddorfa Dinas Birmingham. Roedd yn arweinydd synhwyrus a pharchus, ac yn annwyl gan aelodau'r Gerddorfa. Daeth arweinydd newydd o Dde Lloegr; dyn 'bach' ieuengach, a hwnnw'n un hunanbwysig ac uchelgeisiol. Dechreuodd gan feirniadu'r chwaraewyr, a chodi beiau yn eu canu. Gwylltiodd Lucy a rhai o'r chwaraewyr gyda'r anghyfiawnder a phenderfynasant ymddiswyddo o'r Gerddorfa. Dyna'n union roedd arno ei eisiau; llanwyd eu lle gyda'i ffrindiau ef ei hun o'r de. Penderfynodd Lucy symud i Efrog er mwyn ymuno â cherddorfa broffesiynol arall. Roedd yn chwith gen i pan dorrodd y newydd.

Yn ôl yr hen ddihareb, 'mae ymyl arian i bob cwmwl du'. Cyn iddi hi adael, gofynnodd Lucy i mi a hoffwn gymryd ei lle hi fel athrawes obo Ysgol Gerddoriaeth Birmingham, a chwarae'n broffesiynol mewn ambell gyngerdd a oedd eisoes yn ei dyddiadur, pe cytunai'r trefnwyr â'r cais. Hoffwn, wrth gwrs, ac roeddent hwythau'n falch. Daeth cyngherddau eraill ar ôl y rhai hyn, mewn lleoedd amrywiol. Etifeddais sawl myfyriwr preifat gan Lucy hefyd, a felly y dechreuodd fy ngyrfa fel cerddor proffesiynol.

Tua diwedd 1944, roeddwn yn cael f'anfon gan Reolwr *S & L* i Goleg Technegol Birmingham unwaith yr wythnos, er mwyn mynychu'r cwrs 'Goruchwyliaeth Swyddfa'. Roedd y darlithwyr yn anniddorol dros ben; fel arall, dichon fod y pynciau yn ddigon diddorol. Sut bynnag am hynny, roedd hi'n braf cael gadael y swyddfa. Gobeithiwn o hyd ac o hyd am haul ar fryn.

Roedd hi'n 1945 erbyn hyn, ac roedd hi'n amlwg fod y

rhyfel yn tynnu tua'i derfyn. O'm rhan i, o ganlyniad i waith y swyddfa a mwy o gyfrifoldebau gyda'r gerddoriaeth, cefais fy hun yn brysur fel lladd nadroedd. Mi welwn i ba ffordd roedd y gwynt yn chwythu, a phenderfynais ddal ar y cyfle i gael trafodaeth gyda Frank Edwards – a oedd bob amser yn gynghorwr dibynadwy a doeth, yn enwedig mewn argyfwng – yn ystod fy ngwers nesaf yn Eglwys Halesowen.

Cytunodd Mr Edwards nad oedd cerddoriaeth a gwaith swyddfa'n cyd-dynnu'n rhwydd, a dywedodd bod yn rhaid i mi ystyried gyrfa fel cerddor proffesiynol llawn amser. Ond dywedodd mai amhosibl – neu o leiaf, annoeth – fyddai ceisio bod yn gerddor da iawn heb fy mod wedi cael yr hyfforddiant gorau posibl. "Mae'n amhosibl dechrau fel organydd pentref, a disgwyl codi i fod yn organydd Eglwys Gadeiriol," meddai. "Mae'n rhaid i ti gael hyfforddiant er mwyn dechrau yn y proffesiwn ar y lefel rwyt ti eisiau gweithio arno".

Dywedodd fod rhaid i mi gael fy nerbyn i brifysgol ac ennill gradd mewn cerddoriaeth. Pan ddywedais fod y teulu yn dibynnu braidd ar fy nghyfraniad at y gronfa, atebodd y gallwn ddal i gyfrannu o'r incwm a fyddai'n deillio o gerddoriaeth yn ystod y cwrs. Hefyd, pe bawn i'n mynd i Brifysgol Birmingham, i astudio yn yr Adran Gerddoriaeth enwog, fe fyddwn yn parhau i fyw gartref. Byddai hynny'n golygu llai o drafferth i'r teulu, ac yn rhatach i mi – a gallwn ddal i fod yn hunangynhaliol. Gofynnais iddo wedyn, "Mae wyth mlynedd wedi mynd heibio ers i mi adael yr ysgol; ydych chi'n sicr fy mod i'n ddigon dawnus i gael gradd?" "Dw i'n amau dim," atebodd Mr Edwards.

"Wyt ti wedi matriciwleiddio?" gofynnodd Mr Edwards. "Nac ydw, gwaetha'r modd," atebais. Meddyliodd am funud. "Dw i'n clywed bod arholiad mynediad i brifysgol arbennig ar gyfer oedolion sydd ar fin gadael Byddinoedd y Cynghreiriaid neu Waith Neilltuedig y Rhyfel. Mi holaf Mr Mander,

Ehediad o flaen y gwynt

Roedd haf 1945 yn 'garreg filltir'. Daeth y rhyfel i ben, a chaniatawyd i mi adael S & L. Llwyddais mewn arholiad mynediad i brifysgol, ac, yn dilyn cyfweliad, cefais fy nerbyn gan yr Athro Jack Westrup fel myfyriwr cerddoriaeth i Brifysgol Birmingham. At hynny, dyfarnodd ysgoloriaeth i mi fel cydnabyddiaeth o'm henw da fel oböydd. A dyna sut y deuthum yn athrawes yn Ysgol Gerddoriaeth Birmingham ac yn fyfyriwr ym Mhrifysgol Birmingham ar yr un pryd, heb sôn am fy ngyrfa fel oböydd proffesiynol ym mhob man. Roeddwn yn hwylio o flaen y gwynt er mwyn ymdopi â phopeth.

Roedd myfyrwyr cerddoriaeth yn aml yn gorfod teithio ar y tram ac ar droed rhwng Barber Institiwt y Celfyddydau Cain yn Edgbaston (lle roedd darlithoedd a phob gweithgaredd gerddorol yn digwydd) a Stryd Edmund, yng nghanol y ddinas (lle y cynhelid darlithoedd y pynciau atodol). Dw i'n cofio ei bod hi'n oer iawn ymhobman bryd hynny (un o ganlyniadau'r rhyfel), ac yn enwedig yn hen adeilad y brifysgol yn Edmund Street. Weithiau, fydden ni ddim yn cael gwared â'n cotiau trwy'r dydd! Felly hefyd roedd hi mewn neuaddau trefi, lle y cynhelid cyngherddau o bob math, a lle roedd yn angenrheidiol gwisgo dillad cynnes, ac weithiau fenig heb fysedd, yn ystod ymarferion tair awr, er mwyn gallu parhau â'r canu. Roedd canu offerynnau chwyth mewn cywair yn anodd iawn dan y fath amgylchiadau. Roedd gaeaf 1947 yn oer dros ben.

Wrth gwrs, roedd yn angenrheidiol i fyfyrwyr cerddoriaeth

ymuno â Chymdeithas Gerddorol, a chyn bo hir, cefais fy mhenodi'n ysgrifennydd, oherwydd fy mhrofiad. Daeth cyfrifoldebau amrywiol gyda'r swydd hon, yn cynnwys cynorthwyo gyda threfnu cyngherddau wythnosol, yn ogystal â chanu ynddynt fel arfer, a hefyd bûm yn canu bob wythnos yng ngherddorfa'r brifysgol, lle roedd dau o'm myfyrwyr fy hun yn canu'r ail a'r trydydd obo.

Roeddwn i'n chwarae rhan weithredol ym mhob agwedd ar fywyd cerddorol y brifysgol, a hefyd fel cyswllt rhwng Adran Gerddoriaeth y brifysgol ac Ysgol Gerddoriaeth Birmingham, er mwyn rhoi anogaeth i bawb i gymryd rhan yng ngweithgareddau'r ddau sefydliad, yn ôl awydd y penaethiaid adran. Roedd fy mywyd wedi dod yn llawn tu hwnt i'm disgwyliad, ac roedd o'n hollol foddhaol.

Ar ôl i Lucy symud i Efrog, llenwais ei lle fel oböydd cyngherddau a datganiadau yn Wolverhampton. Roedd Dr Percy Young yn arweinydd, a chyn bo hir, gofynnodd i mi ddysgu un o'i fyfyrwyr yn y Coleg Technegol lle roedd o'n Bennaeth Adran Gerddoriaeth, ac wedyn, gofynnodd i mi dderbyn cyfrifoldeb am gynllunio cwrs elfennau cerddoriaeth, a'i ddysgu fel rhan o wersi nos wythnosol y Coleg. Roedd yn her na feiddiwn ei gwrthod, a minnau'n rhagweld angen y dyfodol.

Yn gynnar yn fy mlwyddyn olaf yn y brifysgol, dywedais wrth gadeirydd y Gymdeithas Gerddorol, Dr Martin Johnson, bod angen i mi ymddiswyddo fel ysgrifennydd oherwydd bod gen i ormod i'w wneud. Derbyniodd f'ymddiswyddiad yn anfodlon, gan fy holi am fy ngweithgareddau. Roedd o'n ddyn cyfeillgar a deallus; yn ddarlithydd ar acwsteg yn yr Adran Gerddoriaeth.

Rai dyddiau'n ddiweddarach, cefais alwad i ymweld â'r Prif Diwtor i Ferched, a oedd hefyd yn uwch-ddarlithydd Seicoleg. Roedd hi eisoes yn ymwybodol o'm gweithgareddau – yn amlwg o ganlyniad i sgwrs gyda Dr Johnson – a soniodd am rai ohonynt. Dywedodd wrthyf dichon ei fod yn ormod i mi ei wneud, ac y dylwn gwtogi ar fy ngweithgareddau y tu allan i'r brifysgol. Awgrymodd y gallwn roi'r gorau am y tro i ddysgu yn Ysgol Gerddoriaeth Birmingham, a hefyd, efallai, y gwaith dysgu yn Wolverhampton.

Holais a oedd lle i mi feddwl bod beirniadaeth ar fy ngwaith cwrs yn y brifysgol. Tybed nad oedd o'n foddhaol? Atebodd hithau gan ddweud, "O, mae pob agwedd ar eich gwaith yn dda iawn – peidiwch â phoeni – ond rydym ni'n poeni am eich iechyd." "Wel, dw i'n ddiolchgar i chi am eich gofal," atebais, "ond ers i mi gael clwy'r pennau ar ôl y deng niwrnod cyntaf fel myfyriwr yma, mae fy iechyd wedi bod yn dda iawn, a theimla i ddim ond braidd yn flinedig, ar hyn o bryd. Petawn i'n rhoi'r gorau i ddysgu, hyd yn oed dros dro, byddai'n hollol amhosibl adennill y swyddi dan sylw. Mi benderfynais geisio cael gradd er mwyn dod yn athrawes well – yn athrawes dda iawn – ac fe fyddai'n annoeth i mi roi'r gorau i beth dw i'n ceisio'i wella." Fy lles i oedd ganddi mewn golwg, ond doedd ganddi ddim syniad ynglŷn â'r gystadleuaeth a fodolai ym maes cerddoriaeth o'r fath. Parheais gyda phob math o weithgaredd fel o'r blaen.

Yn ôl yr hanes, derbyniodd y Fonesig Wulfruna dir gan y Brenin Ethelred yn y flwyddyn 950 O.C., ac ar y tir hwnnw, yn ddiweddarach, y codwyd tref Wolverhampton. Ym 1948, cynhaliwyd Pasiant Canmlwyddiant Wolverhampton i ddathlu'r Siarter Gorffori fel Bwrdeistref a roddodd y Frenhines Fictoria i'r dref. Roedd y Pasiant yn cynnwys deunaw o olygfeydd yn darlunio digwyddiadau hanesyddol ers 950. Cafodd y libreto ei ysgrifennu gan Dr L. du Garde Peach, a Dr Percy Young oedd cyfansoddwr y sgôr lawn. Deuthum innau'n gyfrifol am ysgrifennu sgorau unigol at ddefnydd pob offerynnwr a chanwr (heb fantais cyfarpar ac eithrio pin ac inc!). Cefais ddewis offerynwyr proffesiynol i ymuno â cherddorfa'r coleg, gyda mi fy hun ar yr obo.

Cynhaliwyd ymarferion wythnosol niferus – a'r rheini fel arfer yn para am dair awr – ac yna ymarferion gwisgoedd yn y Neuadd Ddinesig. Cafodd amserlen y perfformiad ei chyhoeddi: 22 Mai i 5 Mehefin 1948 – dyddiadau oedd yn argoeli'n ddrwg i mi braidd. Ymhen amser, cafodd amserlen f'arholiadau terfynol ei chyhoeddi, a honno'n cyd-ddigwydd â'r Pasiant!

O ganlyniad, cefais fy hun, trwy gydol y Pasiant, yn adolygu trwy'r dydd ac yn ystod teithiau niferus, hir ac araf, mewn bws rhwng Blackheath, Birmingham a Wolverhampton. Hwyliwn yn agos i'r gwynt, ac roeddwn i'n flinedig ofnadwy. Bu'r Pasiant, fodd bynnag, yn llwyddiant hynod – a llwyddais i gael gradd hefyd!

Dathlais fy llwyddiant trwy fynd ar gefn beic i Ben Tir Cernyw gyda Helen Barrett, organydd, pianydd a chantores, a chyd-athrawes i mi yn Ysgol Gerddoriaeth Birmingham. Teithiasom drwy dywydd poeth ac yn ddiweddarach drwy law trwm. Unwaith, wrth inni ddringo yn ddigon llafurus i fyny rhiw, arhosodd gyrrwr lori i roi bananas i ni, i'n helpu ni ddringo'n well! Pan ddaeth diffyg na ellid ei atgyweirio ar feic Helen, cawsom lifft gan lori arall i fodurdy yn y dref nesaf, Penzance, lle y gadawsom y beiciau a cherdded i Fwnt Sant Mihangel a Phen Tir Cernyw. Ar y dydd Sul, yn ystod y gwasanaeth hwyrol yn Eglwys Sennen, Pen Tir Cernyw, ni oedd i gyflwyno datganiad ar yr organ, a chanodd Helen ganeuon a minnau ar yr obo (a oedd bob amser yn fy meddiant, hyd yn oed yn ystod taith ar gefn beic!).

Fe lwyddon ni i gael taith hapus a llwyddiannus – serch yr amryw drafferthion, fel llid y stumog a'n trawodd ni'n dwy yn Boscastle wedi i ni fwyta sosej sur a chrwst wedi llwydo yn Redruth, a wedyn tua'r diwedd pan oedd ysigiad pen-glin ar Helen a hynny'n ei gwneud hi'n angenrheidiol i ni ddod yn ôl adref o Fryste i Birmingham ar y trên. Roedd y daith ar feic o 508 o filltiroedd mewn pum niwrnod ar hugain. Roedd pris swper, gwely a brecwast, ar gyfartaledd yn hanner punt y noson.

Yn fuan wedi i mi ddychwelyd, yn ystod fy ngwers gyda Frank Edwards, dywedodd y dylwn feddwl am gael car. Heb gar, dywedodd, roeddwn yn gwastraffu gormod o amser yn teithio ar fws. Fel arfer, soniais am y sgwrs wrth fy rhieni. Braidd yn llugoer oedd eu hymateb i'r syniad, ond roeddent serch hynny yn barod i feddwl am y peth.

Bûm yn meddwl yn fynych am yrru car, ac roedd yn freuddwyd a ddychwelai'n aml. Fel y dywedais wrth rywun: "Taswn i'n gwybod sut i stopio car, dw i'n siŵr y baswn i'n medru ei yrru!"

Bryd hynny, fel mae'n digwydd, daeth hen ffrind i 'nhad (er dyddiau'r Rhyfel Byd Cyntaf) ar ymweliad, wedi llawer o flynyddoedd. Roedd Albert Mason wedi bod yn beiriannydd, ond erbyn hyn roedd yn berchen ar fusnes cludiant llwyddiannus. Roedd o'n synnu pan sylweddolodd nad oedd gan fy nhad gar. "'Rwyt ti ar ôl yr oes, Wil!" dywedodd. Roedd gas gan fy nhad glywed unrhyw fath o feirniadaeth arno. "Beth wyt ti am ei wneud ynghylch hynny?" gofynnodd i Albert. "Dw i'n hyderus y gallaf i ddod o hyd i rywbeth addas i ti a'r teulu yn fuan, heb lawer o drafferth," atebodd. "Mi ddysga i di a'r merched i yrru." "Cer amdani!" meddai fy nhad – yn annisgwyl!.

Roedd Albert gystal â'i air. Ar ôl rhai dyddiau, dychwelodd mewn car ail-law, a dechreuodd ar ei dasg garedig, sef ein dysgu ni'n tri i yrru. Gyrrodd Albert y car i gae ffair gwag, lle y cawsom, fesul un, ein gwers gyntaf.

Roedd fy nhad yn beiriannydd a disgwyliai fedru dysgu gyrru yn ddi-drafferth, ac yna dangos i'm chwaer a fi sut i wneud. Ond, yn groes i'w ddisgwyl, araf iawn fu'r dasg, a hynny'n bennaf am ei fod yn mynnu ystyried pob manylyn ynglŷn â sut roedd y peiriant yn gweithio. Byddai hyd yn oed yn sefyll o flaen goleuadau traffig a'r rheini ar y 'gwyrdd', ac yn dangos mwy fyth o ddiddordeb yn yr hyn oedd yn digwydd yng nghrombil yr injan!

Cyn bo hir, serch bod Albert yn ddyn amyneddgar, collodd amynedd gyda fy nhad, a meddai: "Rwyt ti'n rhwystro'r merched rhag paratoi i sefyll y prawf gyrru, Wil. Fel mae pethau, dw i'n meddwl byddai'n well i mi ganolbwyntio yn gyntaf ar y merched, a rhoi fy holl sylw i ti wedyn." Ac felly y bu. Cyn pen dim, llwyddasom ein dwy i basio'r prawf gyrru y tro cyntaf.

Ailafaelodd fy nhad yn y dasg o ddysgu gyrru. Rhoddai Albert lawer o amser i'w ddysgu, ond doedd fawr o olwg ei fod yn barod ar gyfer y prawf. O'r diwedd, cyfaddefodd Albert: "Ymddengys fy mod wedi methu dy ddysgu di, Wil, ond wn i ddim sut i wneud yn wahanol. Efallai byddai'n well i ti gael gwersi gan diwtor proffesiynol yn Birmingham."

Felly, yn dilyn cyngor Albert, gwnaeth fy nhad ymdrech fawr unwaith eto, gyda thiwtor B.S.M., ond hyd yn oed ar ôl gwersi fel hyn, methodd â dod yn barod i sefyll y prawf gyrru. Nid oedd ynddo anian gyrrwr, ond yn anffodus, fo oedd yr unig un nad oedd yn ymwybodol o'r gwirionedd hwn.

Toc wedi hynny, symudodd fy chwaer i Lundain i weithio, felly fi oedd yr unig yrrwr yn y teulu. Roedd hynny'n iawn gen i, ond roedd fy nhad wastad yn siomedig, a braidd yn genfigennus ohonof. Dw i'n credu ei fod yn meddwl mai fo ddylai fod yn brif yrrwr y teulu.

Daeth tymor newydd ym mis Medi. Roedd y rhan fwyaf o'm gwaith yn ystod y prynhawn a'r nos, ac roedd yn haws i mi deithio rhwng fy ngweithgareddau amrywiol yn y car. Roedd bellach yn bosibl i mi ddod â'm chwaer iau adref am ginio hefyd, a mynd â hi'n ôl i'w gwaith wedyn. Fel arall, byddai ganddi daith hir i'w cherdded, a hithau'n wan ei hiechyd. Hefyd, gallwn fynd â'm rhieni i unrhyw le yn y car yn ôl yr angen. Deuthum yn fath o dacsi mygedol i'r teulu, gan gynnwys modrybedd ac ewythrod, gan nad oedd neb arall yn y teulu yn berchen car. Serch hynny, cefais deithio'n helaeth a mwynhau fy hun yn iawn – yn enwedig pan fyddai Anti Kezia ac Wncl Jo yn gofyn i mi fynd â nhw ar eu gwyliau, ddwywaith neu dair y flwyddyn, i Aberystwyth. Dros y blynyddoedd, ehangais gryn dipyn ar fy ngorwelion, ac mae gyrru'r car yn dal yn un o fy hoff ffyrdd o ymlacio.

Ym 1951, dechreuais feddwl ynglŷn â phensiwn ar ddiwedd oes waith, a sut y byddai'r sefyllfa petawn i'n parhau i weithio'n rhan-amser, er mor ddiddorol ydoedd. Ar y pryd, roedd y rhan fwyaf o'm gwaith yng Ngholeg Technegol Wolverhampton, felly trafodais y mater â Dr Percy Young, Pennaeth yr Adran Gerddoriaeth yno. Cytunodd Percy fod yn rhaid i mi gael gwaith llawn amser, a dywedodd ei fod am geisio creu swydd lawn amser i mi yn yr Adran. Cefais swydd fel darlithydd ym mis Medi 1952.

Gallwn ddal i ganu mewn cyngherddau o dro i dro, mewn lleoedd amrywiol. Erbyn hyn, roedd Dr Ian Parrott, cyfaill i Percy Young, yn Athro yn Adran Gerddoriaeth Prifysgol Aberystwyth. Roedd hefyd yn adnabyddus i mi gan iddo fod, cyn hynny, yn ddarlithydd ym Mhrifysgol Birmingham. Sawl gwaith, fe fûm yn canu yn y brifysgol, a chefais groeso bob amser gan y cerddorion.

Yn gynnar ym 1955, ymwelodd Ian â Wolverhampton gan roi gwahoddiad i mi weithio yn Adran Gerddoriaeth Prifysgol Aberystwyth fel Tiwtor Piano ac Offerynnau Chwyth a Llyfrgellydd yr Adran. Roedd Percy'n anfodlon i'm colli, ond gallai weld y byddai'n ddyrchafiad imi, a chytunodd i mi fynd. Roeddwn wrth fy modd! Cynhaliwyd cyngerdd ffarwelio i mi yn y Coleg a chenais innau'r drymiau – arwydd nodweddiadol o ryddid a gobaith!

Ar adain tua'r gorllewin

Daeth y diwrnod pan gyrhaeddais Aberystwyth, ddechrau mis Gorffennaf 1955. Roedd dau reswm dros symud yn fuan: doedd y llyfrgell gerddoriaeth heb ei thrin dros y blynyddoedd, ac roedd ymweliad brenhinol i fod ym mis Awst.

Roedd y llyfrgell wedi bod dan glo am gyfnod maith ac roedd yn rhaid i mi ei glanhau a symud llwch a gweoedd pryf copyn oddi ar bob silff a phob llyfr, ac wedyn greu catalog i ailsefydlu llyfrgell a fyddai'n deilwng o'r Adran.

Asgell Gregynog oedd y rhan olaf o Lyfrgell Genedlaethol Cymru i gael ei chwblhau, a dôi amser ei hagor gan y Frenhines ym mis Awst. Drwy gydol mis Gorffennaf, cynhaliwyd ymarferion niferus gan grŵp o offerynwyr Cerddorfa'r Brifysgol (a minnau'n oböydd) wrth inni baratoi i ganu yn ystod y gweithgareddau.

Bu anghytuneb o ran dewis arweinydd y gerddorfa. Disgwylid i'r Athro Parrott ei harwain, ond roedd poblogaeth tref Aberystwyth yn benderfynol mai Charles Clements ddylai fod yn arweinydd, fel brodor a phreswylydd, a Chymro Cymraeg a oedd yn cynrychioli bywyd cerddorol y dref. Ar ôl cryn drafodaeth (roedd Charles yn anfodlon i gymryd rhan ynddi), penderfynwyd rhannu'r arweinyddiaeth rhwng y ddau ohonynt.

Daeth Ei Mawrhydi y Frenhines Elizabeth II, gyda Dug Caeredin, ar yr wythfed o fis Awst 1955, a chyhoeddodd Asgell Gregynog ar agor.

Dw i'n cofio fel y cododd helynt dawel yn ystod y seremoni

rhwng swyddogion ar y llwyfan, pan ddarganfu un ohonynt oedd ag anerchiad i'w darllen, nad oedd ei sbectol ganddo. Ar hyd y rhes, estynnodd dynion eraill eu sbectolau, yn ôl ac ymlaen, iddo eu trio. Cael a chael oedd hi, ond daeth sbectol addas mewn pryd iddo ddarllen yr anerchiad!

Wedi hynny, euthum adref am ychydig ddyddiau, ac yna dychwelais i Aberystwyth, lle y cefais i'r fraint o fyw ym 'Mro Gynin', cartref Syr Idris a'r Fonesig Bell, gydol blwyddyn gyntaf f'arhosiad yn y dref. Roeddwn yn byw fel un o'r teulu, a chefais fy nghyflwyno i lawer o bobl. Cefais fy nghynnwys yn llawer o weithgareddau'r teulu. O'r dechrau un, roedd Syr Idris a'i wraig yn groesawus ac yn gyfeillgar; dyma gychwyn cyfeillgarwch hapus, a ddaliodd yn gadarn weddill eu bywydau.

Roeddwn yn ddigon prysur, rhwng fy ngwaith fel athrawes ac fel oböydd yng nghyngherddau cyhoeddus wythnosol y brifysgol. Roedd cyngherddau eraill hefyd – weithiau yng Ngregynog, lle y caem groeso gan Miss Margaret Davies, ac weithiau ym Mron Castell, Capel Bangor, ac unwaith yn Oriel Gelf Glyn Vivian, Abertawe, lle roedd David Bell, ail fab Syr Idris a'r Fonesig Bell, yn Guradur. Roeddwn wrth fy modd yn ystod y cyfnod hwn.

Bu gennyf ddiddordeb mewn ieithoedd erioed, a phan fyddwn yn paratoi i deithio dramor, astudiwn gymaint ag yr oedd modd o'r iaith frodorol. A dyna fi bob dydd yng nghanol sŵn iaith gyfareddol, yn cael blas ar ei sain ond heb ei deall. Teimlwn yn frwdfrydig ynglŷn â'i dysgu. Cofrestrais (ynghyd â'r Athro Cerddoriaeth a'i wraig) mewn dosbarth Cymraeg wythnosol yn y dref, ond roedd y cwrs yn mynd rhagddo'n araf iawn. Cyn bo hir, newidiodd f'amgylchiadau ac roedd yn rhaid i mi roi'r gorau i'r cwrs am y tro – am bron i hanner canrif, fel mae'n digwydd!

Ar ddiwedd blwyddyn gyntaf fy ngwaith yn y brifysgol, cefais wahoddiad i fod yn Is-Warden Neuadd Alexandra – y neuadd breswyl fwyaf i fyfyrwragedd yn y brifysgol. Roeddwn i'n hapus i dderbyn, ond roedd yn ddrwg iawn gennyf symud o 'Fro Gynin', er i mi barhau i ymweld yn aml, a Syr Idris yn dal i ddarllen i mi yn Gymraeg. Deallai f'atyniad at yr iaith, a'm amharodrwydd i roi'r gorau i astudio. Roedd Is-Warden arall, Alice Evans, yn gyfeillgar ac yn barod i fentro. O dro i dro, dangosai leoedd anghyfarwydd i mi yn y wlad, a dysgodd fi i farchogaeth ceffyl.

Roeddwn i'n byw yn Rhandy Neuadd Alexandra yr oeddwn yn gyfrifol amdani. Serch bod y Rhandy ar y promenâd, roedd f'ystafell wely-a-lolfa yng nghefn y tŷ, ac yn dywyll iawn – yn enwedig mewn cymhariaeth â goleuni 'Bro Gynin'. Sut bynnag, ar ôl y tymor cyntaf, cefais wahoddiad i fod yn Warden Ceredigion – neuadd breswyl i saith deg o fyfyrwragedd – lle roedd y Warden presennol ar fin ymddeol ar sail afiechyd, a'r Is-Warden ar fin symud adref.

Derbyniais y gwahoddiad, ac ymwelais â'r Warden, a ddangosodd imi'r ystafelloedd lle y byddwn i'n byw – ar y llawr cyntaf gyda golygfa dros y môr! – a'r drefn feunyddiol. Trefnwyd dyddiad symud – pan fyddai'r myfyrwragedd ar wyliau – ac awgrymodd y Warden i mi ysgrifennu llythyr at y Bwrsar Tŷ i gadarnhau'r dyddiad er mwyn iddi drefnu i gael porthor wrth law i'm helpu i gario pethau o'r car i fyny'r grisiau i'm cartref newydd, a threfnu prydau o fwyd, ac ati.

Daeth ddiwrnod y symud, a chyrhaeddais Geredigion ar amser penodol. Cenais gloch y drws, unwaith, ddwywaith, ond doedd dim ateb. Mi fentrais i mewn; nid oedd neb yn unlle. Symudais fy mhethau o'r car i fyny'r grisiau i'w gosod yn eu lle. Roedd gen i fisgedi a phethau i gael paned o goffi, ac ar ôl cael fy nhraed tanof, arhosais.

Amser cinio, cenais fy nghloch breifat i'r gegin. Wedi ysbaid, daeth morwyn ifanc ataf. Gofynnais a fyddai gystal ag anfon y Bwrsar Tŷ ataf. Amhosibl, dywedodd, achos roedd hi wedi mynd am daith i rywle. Gofynnais am ginio. Cefais wybod fod y 'Warden' wedi dweud wrth bob un o'r morynion am beidio â gwneud unrhyw beth drosta i. Dywedais mai fi fy hun oedd y Warden, a bod arna i awydd cael cinio, yn ôl y drefn feunyddiol. Hefyd, roedd rhaid i mi weld y Bwrsar Tŷ, cyn gynted ag y bo modd. Yn y diwedd, cefais ginio – a the, a swper. Ni welais neb ac eithrio'r forwyn ifanc, hyd drannoeth.

Cefais frecwast ysgafn. Bryd hynny, daeth y Bwrsar Tŷ ataf. Roedd hi'n ddig iawn, a heb un gair o gyfarchiad, dywedodd wrthyf fod rhaid i mi roi f'anghenion iddi hi, a pheidio â gofyn am ddim gan neb arall. Anwybyddais bopeth roedd hi'n ei ddweud, a dywedais y dymunwn iddi hi roi gwybod i mi pe byddai'n rhaid iddi fynd allan am amser hir. Hefyd, roedd rhaid iddi roi gwybod i mi pwy fyddai'n dirprwyo drosti yn ystod ei habsenoldeb. Hefyd, roeddwn yn disgwyl cael prydau o fwyd ar amserau penodol.

Ymhen tipyn, ymwelodd Warden Neuadd Alexandra i drafod rhestr myfyrwragedd y tymor nesaf. Holodd sut groeso a gefais yn Neuadd Ceredigion a dywedais wrthi am fy mhrofiadau. Roedd hi'n synnu, a dywedodd wrthyf y byddai'n rhaid iddi roi gwybod i'r Athro oedd â chyfrifoldeb am neuaddau preswyl, a hithau ar fin ymweld â hi. Galwyd y Bwrsar Tŷ at Gofrestrydd y Brifysgol i esbonio'r ymddygiad annerbyniol. Serch hynny, ni newidiodd dim. Cefais innau gyngor gan Brifathro'r Brifysgol (ac yntau erbyn hyn yn gyfarwydd â'r sefyllfa) i gadw dyddiadur llawn – rhywbeth yr oeddwn i'n ei wneud yn barod.

Wedi sawl wythnos, cefais wybod fod y Bwrsar Tŷ wedi disgwyl cael ei phenodi'n Warden yn otomatig, a'i bod wedi mabwysiadu'r teitl yn barod! (Roedd ei phenodiad yn amhosibl beth bynnag gan nad oedd ganddi radd.) Ond y gwir ddrwg yn y caws o'i rhan hi oedd fy mhenodiad i'n Warden mewn neuadd breswyl Gymreig ym Mhrifysgol Cymru a minnau'n

Saesnes! Dyna'r unig brofiad o'r fath a gefais erioed o elyniaeth gan Gymro neu Gymraes am fy mod yn Saesnes.

Yn fuan, roedd yn rhaid i'r Bwrsar Tŷ fynd i'r ysbyty am gyfnod hir, a chyn bo hir, fe ymddiswyddodd fel Bwrsar Tŷ Neuadd Ceredigion.

Pennod 5

Chwa o awyr iach

Daeth Alice Jones fel chwa o awyr iach yn Fwrsar Tŷ Neuadd Ceredigion. Er mai merch ifanc ydoedd, roedd hi'n brofiadol ac yn alluog. Cymraes oedd hi, ac roedd yn fywiog ac yn gyfeillgar gyda phawb, a chanddi awdurdod priodol a phendant. Denai barch gan bawb, ac o'm rhan i roedd hi'n ddi-feth, yn hollol ddibynadwy a chwbl ffyddlon. Cafodd Ceredigion ei thrawsnewid yn neuadd drefnus a hapus. Bu Alice yn gyfeilles unigryw imi, hyd heddiw, hanner canrif yn ddiweddarach.

O dro i dro, ar ddiwedd tymor, awn adref i ymweld â'm rhieni, ac weithiau gallwn ddod â Mam a'm chwaer iau yn ôl i Geredigion ar wyliau byr. Caent groeso cynnes gan Alice bob amser, ac roeddent yn hoff ohoni.

Ymhen hir a hwyr, daeth gwahoddiad oddi wrth Peter Davies, Cynghorwr Cerddoriaeth Sir Drefaldwyn, i Edward Bor (prif chwaraewr ffidil y brifysgol) a minnau fynd i'r Drenewydd bob yn ail Sadwrn i ddysgu plant a oedd wedi eu dewis yn ofalus o blith ysgolion Sir Drefaldwyn ar sail eu cerddgarwch amlwg. Rhoddodd yr Athro Cerdd sêl ei fendith ar y trefniant. Yn unol â'n cyngor, prynodd Peter offerynnau o'r ansawdd gorau, ar ran yr awdurdod lleol, i'w rhoi ar fenthyg i'r plant.

Cyn gynted ag y cyrhaeddodd yr offerynnau, aethom ni'n dau yn fy nghar i dros y mynyddoedd i'r Drenewydd, lle y cawsom groeso gan Peter. Roedd y plant i gyd yn ddeg neu'n un ar ddeg mlwydd oed, a doent i'r Drenewydd o amryw leoedd dros y sir. Arhosodd Peter trwy'r gwersi obo a basŵn cyntaf er mwyn iddo ddal sylw ar sut yn union i gydosod a gwahanu pob offeryn a'i warchod yn ofalus. Er bod y plant mor ifanc, chefais i erioed unrhyw drafferth yn y cyswllt hwn.

Roedd dawn neilltuol gyda rhai o'r plant, ac roedd yn bleser dysgu pob un ohonynt. Roedd y gwaith dysgu yn ddiddorol iawn, o ganlyniad i agwedd Peter a meddylfryd y plant. Gwnâi pob un ei orau glas, ac er iddynt orfod buddsoddi llawer o amser ac ymdrech fawr i wneud hynny, fe ddatblygodd pob un yn dda iawn. Roedd y plant yn ymwybodol o werth yr offerynnau, ac roedd pawb yn ymwybodol o'r fraint a'r cyfrifoldeb o gael eu dewis. Roedd pawb yn benderfynol o lwyddo.

Ymhen amser, cefais wybod bod gwaith ysgol rhai o'r plant wedi gwella'n sylweddol – ac yn enwedig yn achos un bachgen mawr un ar ddeg oed yn Ysgol Trefaldwyn. Roedd o'n tueddu i fod yn aflonydd ac yn fwli, ond wedi iddo ddod yn ganwr basŵn llwyddiannus, fe newidiodd, a dechrau cydweithio ym mhob ffordd yn yr ysgol, a gwelwyd gwelliant o ran ei waith hefyd.

Pan ddaeth y plant yn ddatgeiniaid mwy medrus, darparodd Peter Davies ar eu cyfer gyfleoedd i ganu mewn cerddorfa. Caniataodd i rhai ohonynt ymuno â Cherddorfa Ieuenctid y Sir. Cynhelid cyrsiau cyson dros y Sul a chyrsiau hirach yn ystod y gwyliau. Erbyn y chwedegau, daethai'r Gerddorfa a'r Côr Ieuenctid ill dau yn alluog dros ben, a theithiasant i Baden-Württemberg yn ne'r Almaen i berfformio mewn cyngherddau yn ystod gwyliau'r Pasg ym 1964.

Cymerwyd rhan gan oddeutu cant o blant gyda naw o athrawon, a Hywel Edwards (Llangollen) a minnau oedd y tiwtoriaid offerynnau chwyth. Rhoddodd yr Almaenwyr groeso cynnes i'r cerddorion ifanc, a chafodd eu datganiadau, o dan arweiniad Peter, dderbyniad brwdfrydig oherwydd eu hansawdd ardderchog. Roedd yr ymweliad yn brofiad unigryw i'r plant. Ar un achlysur, cafodd y plant eu cyflwyno gan Almaenwr, oedd yn siarad Saesneg: "Croeso cynnes i'r plant, sy'n dod o le bach o'r enw Cymru, yn Lloegr"! Beth bynnag am hynny, roedd yr ymweliad yn llwyddiannus iawn, diolch i drefniadau Peter Davies, a oedd yn arweinydd o ansawdd arbennig.

Cafodd rhai o'r plant eu derbyn i Gerddorfa Canolbarth Cymru, a oedd yn cynnwys plant o siroedd Maesyfed, Brycheiniog a Cheredigion yn ogystal â Sir Drefaldwyn. Cynhelid cyrsiau haf ym mhob sir yn ei thro, a fi oedd y tiwtor offerynnau chwyth. Cafodd nifer o'r plant eu derbyn i golegau cerdd, ac yn y pen draw, daeth sawl un ohonynt yn gerddor proffesiynol. Parhaodd fy nghysylltiad gyda cherddoriaeth Sir Drefaldwyn am flynyddoedd, hyd nes y derbyniodd Peter Davies swydd yn Ne Lloegr.

Ym 1957, cefais wahoddiad i fynd i Goleg Hyfforddi Matlock er mwyn cydweithio â Dr Walter Bergmann, tiwtor recorder yn Ysgol Haf Cymdeithas Athrawon Cerddoriaeth. Roedd y profiad yn un llawen a llawn gwybodaeth i mi gan i mi gael dod i adnabod myfyrwyr, a oedd yn barod yn athrawon, o amryw leoedd dros Ynysoedd Prydain. Caed datganiad gan gerddor enwog bob nos. Cafodd y profiad ei ailadrodd, dro ar ôl tro, ym Matlock. Ar ôl rhai blynyddoedd, symudodd y cwrs i Brifysgol Efrog. Bryd hynny, daeth Dr Bergmann yn gysylltiedig â cherddoriaeth yn yr Almaen, felly daeth y cyfrifoldeb am ddysgu recorder i mi ar fy mhen fy hun. Cynhaliwyd y cwrs tan 1977, pan sylweddolwyd y byddai'n rhy gostus i barhau ag ef.

O gwmpas 1957 hefyd, penderfynais innau wella fy nghymwysterau, gan ei bod yn dod yn gynyddol amlwg i mi nad oedd gobaith i mi wella fy swydd yn yr Adran Gerddoriaeth. 'Nid da lle gellir gwell', meddyliwn. Gan hynny, sefais arholiadau yn ystod y gwyliau a chefais ddiplomâu ARCM fel athrawes biano ac FTCL fel perfformiwr ac athrawes obo.

Roedd un o'm cyn-ddisgyblion yn Ysgol Gerddoriaeth Birmingham, yr Athro Brodie Hughes, Athro Llawdriniaeth Nerfol Prifysgol Birmingham, yn hoff o aros dros y Sul yng Ngwesty Llyn Efyrnwy. Deuai i ymweld â mi yn Neuadd Ceredigion, ac, o dro i dro, byddai'n cynnig cyngor i mi. Unwaith, fe gawsom wahoddiad i ganu obo i gyfeiliant yr Athro Cerdd, a chyfarfu'r tri ohonom yn yr Adran Gerddoriaeth. Wedi tipyn o ganu obo a phiano, cododd Brodie, gan ddweud: "Mae'n ddrwg gen i, ond does dim dichon i mi ganu rhagor!"

Ar y ffordd yn ôl i Geredigion, dywedodd Brodie wrtha i: "Alla i ddim canu gyda'r dyn yna! Ydy hi'n wir dy fod ti'n cicio dy sodlau yn gweithio yna gyda fo?" Atebais: "Mae'n wir nad oes dim dyfodol diddorol o 'mlaen i yn fy ngwaith yna, hyd y gwela i." Dywedodd Brodie: "Yn gynta, mi ddylet ti wella dy gymhwysterau academaidd. Ceisia radd uwch." Awgrymodd y gallwn weithio yn Ysbyty Brenhines Elizabeth Birmingham ac mewn ysbytai cysylltiedig yn ystod y gwyliau gan wneud ymchwil perthnasol i rôl cerddoriaeth mewn iechyd meddwl. Ar ôl iddo ymadael, cnoais gil ar bopeth oedd wedi digwydd yn ystod y dydd.

Yn unol â chyngor Brodie, holais ynglŷn â rheolau Prifysgol Cymru ynglŷn â graddau uwch athrawon llawn-amser. Roedd y cymhwysterau ar gyfer cofrestru eisoes gen i, ond roedd yn rhaid i mi gael cytundeb yr Athro Cerdd i'r bwriad. Roedd o'n hapus i'w roi, oherwydd y clod a ddelai i'r Adran petawn i'n llwyddiannus. Felly cofrestrais i weithio tuag at radd uwch.

Pennod 6

Trwy ddŵr a thân

Dichon fod pethau wedi mynd yn eu blaenau yn rhy rwydd i'm lles, a chafodd y ffaith sylw gan yr Athro Cerdd, ac yn enwedig gan ei wraig, a oedd yn tueddu i fod yn eiddigeddus. Sylweddolais hynny pan drefnodd hi i ymuno â mi ar f'ymweliadau i 'Fro Gynin' er mwyn clywed Syr Idris yn darllen, yn enwedig yn Gymraeg, er mai ychydig iawn o'r iaith oedd ganddi hi. Wedi dau ymweliad gyda'n gilydd, dywedodd Syr Idris na allai barhau. Dywedodd y Fonesig Bell wrtha i, yn breifat, i barhau i ymweld â nhw ar fy mhen fy hun, pa bryd bynnag y mynnwn – ond "gofala di rhag bobl beryglus!"

Yn ddiweddarach, bu digwyddiad annisgwyl yn Neuadd Ceredigion. Daeth myfyriwr i'm gweld, mewn gwir angen cymorth. Roedd Manon dan bwysau personol (fel y dywedasai Alice wrthyf yn barod), ac yn awr dyma un peth ychwanegol. Roedd yn bryd i'w chyfeilles ganu ffidil mewn cyngerdd yn y brifysgol ymhen pythefnos, a dywedasai'r Athro Cerdd fod rhaid iddi hithau gyfeilio iddi ar y piano. Dywedodd Manon wrtho fod y cyfeiliant yn rhy anodd iddi, a thu hwnt i'w gallu, hyd yn oed ar ôl ymarfer, a hithau hefyd yn wael ei hiechyd. Gwrthododd yr Athro wrando arni a mynnodd fod rhaid iddi ymarfer a chanu yn y cyngerdd, heb ddadlau mwy.

Roeddwn yn hollol ymwybodol o'i chyflwr meddwl a phob manylyn o'r achos hwn. Es at yr Athro Cerdd a gofyn iddo ryddhau Manon o'r pwysau hwn, a mynnais petai hi'n ceisio canu y byddai'n mynd yn ddifrifol wael, fel y gwn i o brofiad. Hefyd, byddai ei hunanhyder wedi cael ei ddinistrio yn gyfangwbl. Roedd yr Athro yn ddig iawn, a dywedodd wrthyf nad oedd newid i fod ar ei benderfyniad, gan neb na dim. Roedd yn rhaid i Manon ganu yn y cyngerdd. Byddai'r profiad yn dda iddi – a dyna ben ar y sgwrs. Boed felly, meddyliais.

Dychwelais i Geredigion. Dywedais wrth Alice beth oedd wedi digwydd, a beth yr oeddwn am ei wneud. Ffoniais feddyg Manon ar unwaith (ac yntau hefyd yn feddyg arnaf innau, yn ogystal â'r Athro Cerdd). Gofynnais iddo ddod i weld y fyfyrwraig. Wedi iddo gyrraedd Ceredigion, daeth yn gyntaf i gael sgwrs efo fi, gan ei bod hi'n anghyffredin i mi yn bersonol alw arno. Esboniais beth yn union oedd yn digwydd, a deallodd ar unwaith. Wedi iddo archwilio Manon, dychwelodd ataf gan ddweud fod rhaid i mi drefnu ar unwaith iddi gael dychwelyd adref oherwydd cyflwr ei meddwl, ac iddi aros gartref am bythefnos o leiaf – heibio i ddyddiad y cyngerdd.

Ffoniais rieni Manon, a gwneuthum baratoadau iddi ddychwelyd adref drannoeth. Ysgrifennais lythyr ffurfiol at yr Athro Cerdd yn unol â'm cyfrifoldeb fel Warden. Ac yna fe arhosais.

Drannoeth, daeth yr Athro i'r Adran yn ffyrnig. Dywedodd wrtha i fy mod i'n anffyddlon a 'mod i wedi ceisio tanseilio ei awdurdod, ac roedd yn argyhoeddedig fy mod wedi dylanwadu ar farn y meddyg. Dywedodd fy mod wedi mynd yn rhy annibynnol ac yn codi uwchben f'awdurdod. "Dim o'r fath beth," dywedais yn dawel. "Dydw i wedi gwneud dim ond fy nyletswydd fel Warden – fy mlaenoriaeth gyntaf. A dw i'n siŵr y byddai'r meddyg yn anfodlon gyda'r ensyniad ynglŷn â'i integriti!" Rhuthrodd yr Athro i ffwrdd, wedi gwylltio, a sylweddolais nad dyna'r diwedd. Ymhen amser, cefais i wybod bod yr Athro wedi cwyno amdanaf wrth amryw o swyddogion y brifysgol, gan gynnwys y Prifathro, ond doedd neb yn barod i wrando arno.

Cefais fy rhwystro rhag canu yn y cyngerdd nesaf yng Ngregynog gan nad oedd rhan i obo, yn anghyffredin iawn. Ond derbyniais sawl galwad gan wraig yr Athro Cerdd, yn gofyn a oeddwn i wedi derbyn tocyn fel aelod o'r gynulleidfa. Yn y pen draw, daeth tocyn.

Drannoeth, holodd gwraig yr Athro unwaith eto ynglŷn â'r tocyn. "Bydd yn dda gen ti glywed fod y tocyn wedi cyrraedd y bore 'ma," dywedais. "Diolch byth!" atebodd hi. "Da iawn. Rŵan, dw i wedi trefnu i ti fynd â Mrs X, Penparcau, a Mrs Y, Capel Bangor, yno – ac mae'n bosibl y bydd ei merch yn dod gyda hi, ond dw i'n gwybod y bydd lle yn dy gar di – a Mrs Z, Llandinam – bydd hi'n aros ger y bont – efo ti i'r cyngerdd, a mynd â nhw adref wedyn, wrth gwrs." "Fedra i ddim, mae'n arna i ofn," dywedais, gan geisio ymddangos yn ddidaro. "Mi alla i fynd â nhw i'r cyngerdd ond alla i ddim â mynd â nhw adref." "Ond pam lai? Mae'n rhaid i ti!" meddai, bron yn sgrechian. "Byddai'n rhy anodd i mi ddod o hyd i rywun arall i fynd â nhw adref. Mae'n rhaid i ti wneud!" meddai eto. Atebais innau'n dawel: "Ar ôl y cyngerdd, mi fydda i'n mynd adref fy hun, i Ganolbarth Lloegr, dros y Sul." "Elli di ddim!" dywedodd, â'i llais yn codi. "Beth am Neuadd Ceredigion?" Yn fwy pwyllog nag oeddwn yn teimlo, dywedais: "Dw i wedi rhoi gwybod eisoes i'r Athro sydd â chyfrifoldeb am neuaddau preswyl a bydd popeth yn ei le."

Gofynasai un o'm myfyrwyr piano i mi ei pharatoi i gael diploma ac ar ôl i ni weithio arno am gyfnod, daeth amser yr arholiad. Dywedodd yr hoffai gadw'r peth yn gyfrinach rhag yr Athro rhag ofn iddo ymyrryd. Dywedais nad oedd problem, y gellid anfon ffurflen gais yn breifat heb sôn wrth neb. Ymhen amser, cafodd ddiploma LRAM fel athrawes biano. Daeth sôn am ei llwyddiant i glust yr Athro. Daeth aton ni'n dwy, prin yn gallu cadw ei dymer, a gofyn i mi: "Pam na chefais wybod am yr arholiad hwn? Dylet ti roi gwybod i mi beth sy'n digwydd."

"Ddim o gwbl," dywedais, "roedd yn ymgais bersonol." "Wel," dywedodd yr Athro, "dw i wedi penderfynu y byddai'n well i Hazel gael gwersi gan Miss W.," sef fy nghynorthwydd rhan-amser. Dywedodd wrth Hazel: "Dw i'n siŵr y byddi ar dy ennill o newid athrawon." Atebodd Hazel: "Mae'n well gen i barhau fel yr ydw i." "Mae'n rhaid i ti symud," meddai'r Athro. Ar ôl meddwl am eiliad, dywedodd Hazel wrth yr Athro: "Mae gen i awydd astudio'r basŵn – ga i wneud hynny?" "Cei," atebodd yr Athro, "os bydd Miss Hunter yn cytuno." "Dw i'n cytuno," meddwn, "a chroeso i'r byd chwythbren!" Yn ddiweddarach, daeth Hazel i ymddiheuro i mi am beth oedd wedi digwydd. "Alla i ddim ei wrthwynebu yn fwy," dywedodd hi, "rhag ofn iddo israddio fy ngradd." "Paid â phoeni," atebais, "dw i'n deall."

Yn ystod yr wythnos wedyn, daeth yr Athro ataf yn cario llyfr rheolau wedi ei agor ar adran y graddau uwch. "Mae'n amhosibl i ti wneud gradd uwch," dywedodd. "Pam felly?" gofynnais. "Byddai'n rhaid i ti fyw fel myfyriwr llawn amser am dair blynedd er mwyn ymgymhwyso." "Dim o'r fath beth," dywedais, yn ôl fy arfer. "Trowch at y rheolau sy'n berthnasol i athrawon llawn amser y brifysgol. Rydych chi'n darllen y rheolau anghywir."

Roedd Enid Parry, gwraig y Prifathro, yn gyfrifol am raglen radio wythnosol o'r enw 'Dyddiadur Cerdd', ar ffurf ymddiddan efo ffrind. Roedd yr Athro Cerdd wedi cyfrannu iddi unwaith. Ymhen amser, cefais innau wahoddiad gan Enid i gymryd rhan drwy ddarllen llawysgrif a oedd wedi ei pharatoi ganddi hi. Dywedais na fedrwn ei darllen, ond atebodd Enid heb betruso: "Bydd Tom a finnau yn dy hyfforddi yn union sut i'w darllen!" A felly y digwyddodd. Mwynheais fynd i 'Hengwrt' i astudio wrth y tân, wrth draed Tom ac Enid, sut yn union i ynganu pob iot o sain a gair ac atalnodi, a sut i wneud tôn a phwyslais i'r dim. Troi pob carreg. Daeth diwrnod y recordiad, ac roedd popeth yn iawn, yn unol â phob disgwyl.

Ar ôl y darllediad, daeth yr Athro Cerdd ataf gan ofyn, yn genfigennus: “Pam y digwyddodd y darllediad neithiwr heb i neb sôn amdano wrtha i? Pa bryd y gwnaed y recordiad? Ymhle? Pwy oedd yna?” Gwylltiai fwyfwy wrth siarad. “Dylai rhywun fod wedi dweud wrtha i.” Gofynnais innau: “Pam felly?” “Dylwn fod wedi cael gwybod,” atebodd. “Wel,” dywedais, “nid wyf am amddiffyn y ffaith i mi roi cyfweliad ar ôl y rhaglen. Efallai byddai’n well i chi ofyn i Tom ac Enid.”

Roedd yr Athro Cerdd yn arholwr cerddoriaeth ar gyfer Coleg y Drindod, Llundain, a chawsom yn yr Adran wybod ei fod am wneud taith ryngwladol yn ystod tymor yr hydref dilynol. Ni chawsom wybod dim am ei gynlluniau, ac roedd popeth yn dawelach nag arfer. Roeddem yn edrych ymlaen yn awyddus am dymor heddychlon, gyda chyfleoedd i ni weithio a gwneud cerddoriaeth o’r ansawdd gorau posibl, heb ymyrraeth ddiangen.

Syr Idris a'r Fonesig Bell, gartref yn Bro Gynin, Aberystwyth (1956)

Ei Mawrhydi y Frenhines Elizabeth II yn cyhoeddi agoriad Asgell Gregynog, Llyfrgell Genedlaethol Cymru, Aberystwyth (8 Awst, 1955)

Neil Black, myfyriwr cyntaf yr Awdur yn Birmingham, gyda'r Dr Percy M. Young, Wolverhampton, a'r Awdur (1949)

Cerddorfa Ieuenctid Canolbarth Cymru gyda Rae Jenkins, arweinydd gwadd, a Peter Davies, cynghorwr Cerddoriaeth Sir Drefaldwyn (1960)

Michael Jones, Drenewydd (basŵn), a David Theodore Jones, Caersws (obo), myfyrwyr yn y Drenewydd (1963)

Cerddorfa a Chôr Ieuenctid Sir Drefaldwyn gyda Peter Davies yn Schloss Langenberg (cartref chwaer Dug Caeredin), Baden-Wurttemberg (1964)

Cerddorfa a Chor Ieuenctid Sir Drefaldwyn gyda Peter Davies yn Fronhofen, Baden-Wurttemberg (1964)

Penwythnos myfyrwyr cerddoriaeth Prifysgol Cymru, Aberystwyth, yn Gregynog (mis Tachwedd 1954)

Athrawon a myfyrwyr Adran Gerddoriaeth Prifysgol Cymru, Aberystwyth (c. 1958)

Colli golwg ar gymylau amser

Mi weithiais yn galed trwy'r haf i gwblhau f'ymchwil. Derbyniwn gyngor oddi wrth Alice Evans (Is-Warden Neuadd Alexandra) am sut i osod canlyniadau arbrofol ar ffurf diagram. Defnyddiai Alice dechnegau fel 'na bryd hynny wrth iddi baratoi ei thraethawd doethuriaeth ar 'Genhedliad Meillionen'. Cyn bo hir, roeddwn wedi paratoi fy nheipysgrif ddraft ar gyfer y radd uwch yn ddidrafferth.

Ar ôl diwedd y tymor, ymwelodd fy chwaer hŷn, Doris, â Neuadd Ceredigion er mwyn teipio fy nhraethawd, cyn i mi ei gyflwyno i Brifysgol Cymru. Roedd Doris bellach yn bennaeth ar Adran Deipio Coleg y Deillion ac roedd ei gwaith o'r ansawdd gorau. Roedd hi'n wybodus ac yn fanwl gywir – yn berffeithydd. Hi ei hun oedd wedi cynnig teipio fy nhraethawd, a felly y bu. Rhoddais y teipysgrif i'r rhwymwr llyfrau a chyn bo hir roeddwn yn barod i'w anfon i Brifysgol Cymru.

Yn ystod tymor yr hydref, roedd popeth yn braf yn yr Adran Gerddoriaeth – awyrgylch anarferol o dawel, ond llawn gweithgarwch. Roedd pob un wrth ei waith, a chododd ansawdd y datganiadau cerddorol yn amlwg.

Ond gwyddem ni i gyd na allai hyn barhau. Ni allai'r hwyl barhau ond dros dro – hyd at ddiwedd y tymor. Tyfai fy mhenderfyniad i chwilio am swydd newydd, a pheidio â disgwyl am y dirywiad anochel a ddeuai gyda dychweliad yr Athro.

Ymddangosodd ffordd o ddianc pan ddaeth Doris i ymweld

â mi. Roedd hwyl dda a dymunol dros ben arni, a cheisiodd yn wirioneddol fod o gymorth; roedd hi eisoes yn hollol gyfarwydd â chyflwr pethau. Dywedodd wrtha i y byddai swydd Pennaeth Adran Gerddoriaeth Coleg Brenhinol Normal y Deillion yng Nghastell Rowton ger Amwythig ar gael yn y flwyddyn newydd, ac roedd hi'n siŵr y byddai'r swydd yn addas i mi.

Roedd hwn yn ymddangos yn syniad da ac yn sicr yn werth ei ystyried. Roedd ein rhieni yn heneiddio, ac roedd Mary, fy chwaer iau, yn wael ei hiechyd. Petawn i'n symud i Amwythig, byddai'r pellter adref yn hanner can milltir, yn hytrach na'r cant ac ugain o Aberystwyth, a gallwn ymweld â nhw'n fynych. Roeddwn i'n gyfarwydd â'r Coleg a rhai o'r bobl yna, ac roedd i'w weld yn syniad da. Addawodd Doris y byddai'n gwneud ymholiadau ynghylch y swydd. Roeddwn i'n obeithiol oherwydd ei brwdfrydedd diffuant. Cyn pen fawr o dro, ffoniodd Doris i ddweud wrtha i y byddai'r Prifathro wrth ei fodd petawn i'n penderfynu derbyn y swydd.

Mae'n rhaid i mi aros am funud er mwyn myfyrio ynghylch f'agwedd bryd hynny. Serch bod rhyw bedwar deg pum mlynedd ers hynny, dw i'n cofio yn union fel yr oeddwn yn meddwl am fy nyfodol. Roeddwn i'n flinedig dros ben. A minnau'n wynebu argyfwng ac yn teimlo fy mod i ar ben fy nhennyn, roedd yn rhaid i mi ddod o hyd i'r ffordd orau ymlaen – a hynny heb gymryd cam gwag. Roedd yn rhaid i mi gyfaddef fod yr Athro Cerddoriaeth wedi bod yn gyfrwng i greu swydd addas i'm galluoedd yn yr Adran Gerddoriaeth, ac wedi'm galluogi i fyw yn Aberystwyth, fy hoff le; a byddwn i'n fythol ddiolchgar iddo am hynny. Ond ni allai ddioddef unrhyw ddyrchafiad ar fy rhan ac nid oedd ei agwedd yn debyg o newid. Byddai fy hoffter hir-dymor o Gymru yn parhau gydol oes, er gwaethaf bygythion fel 'na. Gan hynny, pan godai cenfigen, roedd yn debygol o fwydo ei hun. Fel y dywedodd

Brodie wrthyf, ni ellid dweud o gwbl y byddai dyfodol boddhaol i mi yno.

O ran Neuadd Ceredigion, roeddwn i'n hapus yno, ond roedd y gwaith yn parhau. Hoffwn ddal fy ngafael ynddo, ac ar yr un pryd gadw tŷ hapus. Ond roedd gorchymyn newydd ei gyhoeddi a ganiatái i fyfyrwyr gwrywaidd ddod i mewn i ystafelloedd y myfyrwyr benywaidd, ar unrhyw adeg, ac fe ymddangosai hynny fel cam gwag i mi bryd hynny, ac roedd y Wardeniaid yn ansicr ynglŷn â sut i fynd ymlaen.

Roedd arnaf angen gweithio, ac ymddangosai ei bod hi'n amser i mi symud – a hynny i Goleg y Deillion yng Nghastell Rowton. Trefnwyd i mi ymweld er mwyn cael gair â'r Prifathro.

Cefais i groeso cynnes ganddo a chefais wybod am fanylion y swydd. Addawodd i mi offerynnau chwyth a rhyddid i ddatblygu'r gerddoriaeth, yn enwedig felly gerddoriaeth offerynnol a chanu, yn ôl f'awydd. Gallwn i barhau i fynd i'r Drenewydd bob yn ail fore Sadwrn a hefyd i ganu mewn cyngherddau proffesiynol o dro i dro. Byddai diwrnod o ddyletswydd bob deg diwrnod yn gyfnewid am fwyd a llety. Ymddangosai popeth yn iawn, a derbyniais y penodiad. Dim ond un achos pryder oedd, sef hwyliau Doris. Roedd hwyl dda arni hi ar hyn o bryd, ac roedd hi wrth ei bodd pan ddywedais wrthi hi fy mod wedi fy nerbyn i'r swydd. Ond gwyddwn o brofiad gallai ei hwyliau droi fel llanw a thrai. Er hynny, roedd ei phleser a'i brwdfrydedd yn amlwg – felly gobeithiais y gorau.

Cynigiais f'ymddiswyddiad i'r brifysgol – ond â'm calon yn torri wrth ymwahanu oddi wrth fy ffrindiau yn Aberystwyth a gadael Cymru ar ôl. Efallai dylwn fod wedi gwrando yn fwy astud ar fy nghalon . . .

Darlith ar offerynnau chwyth oedd fy natganiad olaf yn y brifysgol. Cydosodais bob offeryn o flaen y gwrandawyr, a oedd yn agos ataf, gan mai yn bur anaml y byddai cyfle i bobl weld y broses. Gwneuthum gymhariaethau rhwng maint, yn enwedig hyd cyfan, mathau o ddarnau i'r geg ac ati, ac ar ddylanwad acwstig dilynol y nodweddion hynny ar sŵn a thraw, a chenais enghreifftiau ar offerynnau o bob lliw a llun – pibell fambŵ, saith math o recorder a saith offeryn cerddorfaol, gyda chyfeiliannau gan Charles Clements.

Ar ddechrau fy sgwrs roedd rhywbeth o'i le – ni allwn i ddod o hyd i fy recorder lleiaf, y sopranino, yn unlle! Ymddiheurais, ac euthum ymlaen. Tua'r diwedd, daeth yn bryd i mi gydosod y basŵn. Gosodais dri darn, a phan godais y darn olaf o'i flwch, gwelsom ni i gyd yr hosan fach, a oedd wedi ei gweu gen i mewn edafedd lliw rhosyn, a oedd yn dal fy recorder bach! Roedd y gynulleidfa yn piffian chwerthin, a chredai pob un fod hyn yn fwriadol ar fy rhan – ond ddim o gwbl! Roedd pob un yn hapus iawn – gan gynnwys Charlie a finnau. Am eiliad, gofidiwn fy mod yn canu'n iach.

Mewn gwirionedd, ysgogodd f'ymddiswyddiad ecsodus. Dywedasai y Bwrsar Tŷ ac Is-Warden Neuadd Ceredigion y gadawent pe gadawn i, ac felly bu. Cyn bo hir, gadawodd Edward, prif chwaraewr ffidil Adran Gerddoriaeth y Brifysgol i fyw yng Nghaergrawnt; aeth y prif soddgrythor adref i Sir Buckingham; enillodd y darlithydd swydd mewn prifysgol yng ngogledd-ddwyrain Lloegr; ac, ymhen amser, ymddeolodd yr uwch-ddarlithydd.

Colli'r trywydd

Gan hynny, cefais fy hun ar ddiwrnod oer ym mis Ionawr 1961 ar fy ffordd i Gastell Rowton. Wedi cyrraedd, euthum i ystafell wely-a-lolfa yn yr adeilad preswyl. Roedd yr adeilad gwreiddiol o bren wedi ei losgi'n ulw un bore bach ym mis Mawrth 1953, ond erbyn hyn wedi ei ailadeiladu gyda brics. Cafodd yr adeilad ei roi ar dân gan fachgen ifanc, ond chafodd neb mo'i frifo. Roedd f'ystafell yn fach, ac yn eithaf tywyll ac oer, achos ei bod yn wynebu tua'r gogledd, ac ni châi'r gwres canolog ei roi ymlaen nes i'r myfyrwyr ddychwelyd ymhen dau ddiwrnod.

Cwrddais â Doris, a oedd wedi cyrraedd, a chyn bo hir aethom ni i gael te prynhawn yn yr hen gastell, lle y cefais fy nghyflwyno i'r athrawon eraill. Deallais fod yn rhaid i bawb ymgynnull i gael te prynhawn bob dydd, er mwyn i'r Prifathro fod yn ymwybodol o beth oedd yn digwydd trwy'r Coleg.

Roedd adran arall o'r Coleg yn Neuadd Albrighton, tu hwnt i Amwythig ar y ffordd i Wem, ryw wyth milltir i'r dwyrain o Gastell Rowton. Yno, roedd y bechgyn hŷn dan hyfforddiant fel tiwnwyr pianos, ac yn y Castell roedd y merched hŷn yn dysgu teipio, a phlant yr ysgol gynradd. Fy nghyfrifoldeb i oedd dysgu rhai o'r genethod i ganu'r piano, a hefyd blant yr ysgol fach i gyd mewn un dosbarth. Doedd dim 'ystafell gerddoriaeth' – dim ond ystafelloedd bach i unigolion ymarfer piano.

Ymhen ychydig, euthum i weld y Prifathro, yn ei ystafell lawn hen ddodrefn, a gofynnais iddo am yr offerynnau chwyth a addawodd i mi. Heb betruso, atebodd: "Does gennym ni ddim arian ar hyn o bryd – gofyn i mi eto ar ôl gwyliau'r Pasg."

Fi hefyd oedd yn gyfrifol am ddysgu cerddoriaeth i grŵp o ferched hŷn yn yr 'ystafell adloniant'. Euthum i'r ystafell ar yr amser penodol, a dyna lle roedd chwe merch wedi gwasgu at ei gilydd o gwmpas llosgwr golosg hen ffasiwn. Mi glywais arogl ofnadwy. Dywedais: "Ni allwn ni aros yma – mae'n beryglus. Lle gallwn ni fynd?" Atebodd un ohonynt: "Efallai y gallwn ni fynd i'r Neuadd Gynnull – does dim ystafell arall." "Awn ni yno," meddwn.

Ar y ffordd, daethom wyneb yn wyneb â Doris. "Ble rwyt ti'n mynd?" gofynnodd. "Yn yr ystafell adloniant dylet ti fod." "Allen ni ddim bod wedi aros yna; mae'n afiach achos mwg." "Wel," dywedodd, "mae'n rhaid i ti fynd yn ôl yna – mae'r stafell yn ddigon da i bawb arall – pam dylet ti fod mor ffyslyd?" Atebais: "Awn ni ddim yn ôl yna hyd nes bydd y simne wedi cael ei glanhau. Mae'n beryg bywyd." "Rhaid i ti ddweud wrth y Prifathro" atebodd. "Dw i'n cytuno" dywedais. Ar ôl llawer o wythnosau, edrychwyd ar y simne, a daethpwyd o hyd i nythod a phob math o ysbwriel.

Un diwrnod, daeth dyn o Neuadd Albrighton draw. Cyflwynodd ei hun i mi. "Fi ydi Pennaeth yr Adran Gerddoriaeth," meddai. "Os bydd arnoch chi eisiau rhywbeth, gofynnwch i mi," – a diflannodd. Ni ddaeth byth yn ôl.

Roedd un dosbarth o'r enw 'Gwerthfawrogi Cerddoriaeth' – neu, yn iaith y plant, ac yn ddirmygus: 'Miwsap'. Deuthum o hyd i'r ysgol gynradd gyfan yn y Neuadd Gynnull, ac ni ddisgwylwyd dim o'm rhan i ond arolygu'r plant wrth iddynt wrando ar raglen radio i ysgolion. Dechreuodd pob merch weu, ac roedd pob un o'r bechgyn yn gwrando, trwy glustffon, ar bethau eraill ar y radio. Gofynnais i bawb wrando'n astud ar y rhaglen gerddoriaeth mewn tawelwch a rhoi'r gorau i'r clecian a'r difyrion eraill. Disgrifiais y nodweddion cerddoriaeth i wrando arnynt.

Daeth amser te, a dywedais wrth y Prifathro fy mod i wedi rhwystro'r plant rhag gweu yn ystod pob math o ddatganiad cerddorol. Atebodd yntau: "O, alla i ddim cefnogi'r agwedd hon." Dywedais: "Dydw i ddim yn barod i ddysgu cerddoriaeth gyda synau eraill neu ddifyrion o'r fath. Rhaid canolbwyntio er mwyn dysgu." "Dw i'n anghytuno," meddai'r Prifathro. "Dw i fy hun yn hoff o gerddoriaeth, heb ddeall dim arni, ac mae'n well gen i ganiatáu i'r plant fwynhau'r un fath." "Felly dw i wedi cael f'apwyntio trwy dwyll!" atebais. "Roeddwn i'n meddwl fy mod i wedi cael fy mhenodi fel athrawes." Yn ddiweddarach, darganfûm mai mewn Seicoleg Ddiwydiannol, yn hytrach nag addysg, yr oedd cymhwysterau'r Prifathro; ond daliais at f'egwyddorion.

Ar ôl te, dywedodd Doris, yn ffyrnig, wrthyf: "Bydd rhaid i ti beidio â siarad fel yna gyda'r Prifathro – mae hynny'n cael ei wahardd. Elli di ddim ymddwyn fel hyn." "Dw i newydd wneud," atebais, "ac roedd bob gair yn hollol wir!" "Ystyfnig, fel arfer!" meddai.

Roedd 'dydd dyletswydd' mewn gwirionedd yn syrthio unwaith pob pedwar diwrnod – yn amlach na'r disgwyl. Roedd yn rhaid deffro cyn saith o'r gloch, ac, o hynny ymlaen, roedd yn rhaid canu clychau ar adegau penodol, ymweld ag ystafelloedd gwely i gadarnhau bod y plant wedi codi, arolygu pob cynulliad, fel y cyfarfod boreol, pob pryd bwyd (a rhannu llythyrau yn ystod egwyl coffi), adeg gwaith cartref, adeg goruchwylio plant oedd yn gorfod aros ar ôl ysgol; casglu esgidiau i gael eu trwsio, cadw trefn a sicrhau bod pawb yn mynd i'r gwely ar adegau penodol (rhai gwahanol ar gyfer pob cysgwr), diffodd goleuadau penodol a chloi drysau gwahanol mewn adeiladau gwahanol ar adegau penodol. Roedd gweinyddiaeth y Coleg yn hynafol a gormesol dros ben, ac roedd Doris yn rhan ohoni – ac yn ei helfen. Edrychai i mi mai'r peth lleiaf yn fy mywyd oedd dysgu cerddoriaeth.

Allwn i ddim ymarfer yr obo yn f'ystafell wely-a-lolfa, rhag aflonyddu ar aelodau eraill y Staff mewn ystafelloedd gerllaw. Doedd dim ystafell ymarfer i gael. Nid oedd dim dichon i mi dderbyn ymrwymiadau fel oböydd. Er mwyn i mi ymarfer, roedd rhaid i mi fynd allan yn fy nghar i chwilio am le unig, ar ochr lôn dawel.

Daeth ffliw heintus drwy'r Coleg, ac roeddwn i'n un o'r dioddefwyr. Roeddwn i'n sâl iawn am dair wythnos – yn salach nag y bûm i erioed, na chynt na chwedyn. Deuai'r meddyg draw weithiau, a'r un cyngor a fyddai ganddo bob tro, sef "Yfwch ddiodydd poeth, cymerwch aspirin ac arhoswch yn eich gwely!". Roeddwn i'n ddigalon dros dro, ond yn methu â dweud wrth neb. Cefais dipyn o gydymdeimlad gan Doris, a chredaf ei bod hi'n eithaf pryderus amdanaf.

Ymhen amser, daeth diwedd y tymor. Awgrymodd Doris i ni gael gwyliau merlota am wythnos. Doedd hi erioed wedi bod ar gefn ceffyl, ond roedd hi wedi gweld hysbyseb ar gyfer cwrs ym 'Mhencerrig', lle roedd yn bosibl cael awr o hyfforddiant i ddechreuwyr cyn mynd i ferlota. Roedd yn awgrym annisgwyl, a chytunais i fynd, ond nid heb f'amheuon.

Tŷ mawr oedd 'Pencerrig', rhwng Llanfair-ym-Muallt ac Aberhonddu. Wedi inni gyrraedd, cafodd Doris ei hyfforddiant, a drannoeth aethom ni ar y daith gyntaf – un fer a chysurus. Mwynheais y daith, ond roedd hi'n ormod i Doris. Treuliodd bob diwrnod ar ôl hynny yn teithio'r ardal yn ei char newydd. Daliais innau ati i ferlota o gwmpas godre Bannau Brycheiniog, yn mwynhau rhyddid rhag pwysau o bob math.

Deuthum â llyfr i'w ddarllen yn fy ngwely: *I leap over the Wall* gan Monica Baldwin. Stori ydoedd (neu hunangofiant, efallai) ynglŷn â merch a oedd yn paratoi ar gyfer byw fel lleian, ond ei bod yn teimlo bod 'na ormod o gyfyngiadau mewn bywyd felly. Yn y pen draw, ymryddhaodd oddi wrtho. Roedd yn stori syml ac eglur. Wrth ddarllen, codai argyhoeddiad cryf ynof ei bod yn rhaid i minnau wneud yr un fath.

Ddiwedd yr wythnos, aethom ni adref i Blackheath – Doris dros y Sul a finnau am wythnos – ac ar ôl amser byr, dywedais wrth y teulu cyfan am fy mhenderfyniad i adael y Coleg ddiwedd tymor yr haf. Am funud, aeth Doris yn fud gan syndod, ac wedyn gwylltio. "Pam na wnest ti drafod dy syniad ffôl gyda fi? Dylet ti fod wedi esbonio i mi a byddwn wedi gallu dy ddarbwyllo i beidio â rhoi'r gorau i'r swydd. Mae'n rhaid i ti aros yn hirach cyn penderfynu. Rwyt ti'n annoeth iawn. Rhaid i ti beidio â gadael!" Atebais innau: "Doedd dim rhaid trafod. Dw i'n benderfynol, a does dim dwywaith amdani." Dywedodd Doris fy mod i'n troi cefn ar y teulu ac arni hithau, ac ar y Coleg a'r Prifathro, ac arna i fy hun eto! Ond meddai fy mam: "Newyddion ardderchog – byddwn ni'n edrych ymlaen i'th gael di adref!"

Wrth fynd yn ôl i'r Castell, rhoddais fy rhybudd yn llaw'r Prifathro, gan ddweud: "Dw i'n dymuno gadael y Coleg ar ddiwedd tymor yr haf. Hoffwn i chi dderbyn fy rhybudd, os gwelwch yn dda." Gwthiodd y llythyr yn ôl ataf dros y bwrdd, gan ddweud: "Alla i ddim derbyn hwn. Nid oes arnaf eisiau i chi adael. Rhaid i chi ailfeddwl – peidio â gwneud penderfyniad ar amrantiad – ailfeddwl dros dymor yr haf, a thros wyliau'r haf os bydd angen. Dw i'n siŵr y byddwch chi'n teimlo yn wahanol ac yn newid eich penderfyniad. Gyda llaw, fe gewch chi'r offerynnau cerddorol rŵan." Atebais innau: "Yn ôl fy arfer, dw i wedi ystyried yn ofalus eisoes. Dydw i ddim am newid fy mhenderfyniad. Cefais fy nghamarwain ynglŷn â'r gwaith, y cyfleoedd, yr amodau a'm statws yma, fel y gwyddoch chi'n iawn. Dw i am adael ar ddiwedd tymor yr haf, ac ni fyddaf yn tynnu fy rhybudd yn ôl." "Dw i'n siomedig", dywedodd. "A finnau hefyd," atebais.

Yn ystod y tymor, llwyddodd rhai o'm myfyrwyr yn eu harholiadau piano, rhoddais wersi i ferch gyda'i clarinet ei hun, a hyfforddais grŵp o ferched hŷn i ganu madrigalau. Daeth y diwrnod gwobrwyo, a chanodd y merched dair madrigal yn berffaith. Roedd yr unawd clarinet yn dda hefyd, ac roedd pawb yn hapus iawn.

Cefais, yn anfoddog, ganiatâd i fynd i Gaerdydd er mwyn derbyn gradd MA o law Canghellor Dros Dro Prifysgol Cymru – y Prifathro Thomas Parry! Daeth fy mam gyda mi, ac roeddem wrth ein bodd yn teithio yn fy nghar dros fryn a dôl, yn edrych ymlaen gyda'n gilydd wrth nesáu at adref.

[Caewyd Castell Rowton tua diwedd y saithdegau, a symudodd Coleg y Deillion oddi yno i Henffordd, i adeilad a oedd newydd ddod yn wag pan gaewyd Coleg Hyfforddi Henffordd. Dirywiodd Castell Rowton. Roedd popeth y tu mewn, gan gynnwys grisiau a phanelau derw a'r hen waith plastro dan fygythiad lleithder, llwch a baw. Ymhen hir a hwyr, yn y nawdegau, cafodd y pwll nofio ei ailadeiladu fel canolbwynt y Clwb Gwlad, gyda champfa ac ati er mwyn i aelodau'r clwb gadw'n heini. Cafodd yr hen gastell ei brynu wedyn a chael ei adnewyddu fel gwesty.]

Sefyll ar y gwynt

Treuliais sawl diwrnod yn ymgartrefu ac yn dadebru er mwyn gallu ailgynllunio ar gyfer y dyfodol, heb fynd ar gyfeiliorn y tro yma. Cofiais yr hen ddihareb 'Gorau athro, adfyd', ond roeddwn wedi cael digon arno.

Yn gyntaf, ffoniais Peter Davies (Cynghorwr Cerddoriaeth Sir Drefaldwyn), a dywedais wrtho beth oedd wedi digwydd yn ddiweddar. Roedd Peter wedi gofyn i mi, o dro i dro, a fyddai'n bosib i mi roi mwy o amser i ddysgu yn y Sir. Hyd yn hyn, yr oedd wedi bod yn amhosibl, ond erbyn hyn roedd gen i ryddid. Roedd Peter yn gerddor arbennig, ac roeddwn eisoes yn hapus iawn yn gweithio yn Sir Drefaldwyn.

Roedd Peter wedi rhagweld y problemau a brofais yng Ngholeg y Deillion, a doedd o'n synnu dim pan ddywedais fy mod i wedi gadael. Gofynnodd i mi ddysgu bob wythnos ym Maldwyn yn hytrach na bob pythefnos, a threfnodd i mi ddysgu myfyrwyr ychwanegol oddi ar ei restr aros. Er y byddai'n rhaid i mi yrru saith deg pum milltir bob ffordd o'm cartref i'r Drenewydd, gwyddwn o brofiad y byddai'r amser yn un da.

Roeddwn i'n ymwybodol o'r diffyg tiwtoriaid chwythbren, ac yn enwedig un tiwtor a fedrai ddysgu pob offeryn chwyth. Gyda hyn, gwneuthum gais i Gynghorwyr Cerddoriaeth Sir Amwythig a Sir Gaerwrangon i gael dysgu chwythbrennau yn y ddwy sir. Roedd y ddau ohonynt yn hapus i'm penodi i ddysgu mewn amryw ysgolion yn y siroedd, a threfnwyd amserlen addas. Roedd y cynllun yn foddhaol ar gyfer trefn dros dro, ond byddai'n rhaid i mi ddod o hyd i waith llawn amser a fyddai'n hollol addas i'm gallu ac at fy nant. Roeddwn yn benderfynol o beidio â gwneud camgymeriad arall!

Fel hyn y dechreuodd fy mywyd crwydrol, a chefais fy hun yn mwynhau gyrru rhwng ysgolion mewn trefi gwledig dros y siroedd. Sut bynnag, doedd Ysgol Uwchradd Fodern Oldbury, Sir Gaerwrangon, ddim mewn ardal wledig. Roedd Oldbury yn sawdl fach o'r Sir a oedd yn yr Ardal Ddu, ac roedd yr ysgol hon yng nghysgod ffatrïoedd cemegol ac adeiladau o bob math. Serch hynny, roedd yr ysgol yn werddon ddiwylliannol. Er bod y plant braidd yn dlawd ac yn byw mewn ardal mor aflan a drewllyd, roedd y Brifathrawes, Miss Drury, yn ysbrydoledig – yn dawel ei hagwedd ac yn garedig, yn wraig a rhuddin ynddi.

Cefais groeso cynnes yno gan Miss Drury, a aeth â fi i'r cyfarfod boreol a'm cyflwyno fel gwraig wadd i'r plant ac i'r athrawon eraill. Darganfûm fy mod i ymysg ffrindiau – cyn-fyfyrwyr o Ysgol Gerddoriaeth Birmingham. Cyfeilid yr emynau gan gerddorfa o blant ac athrawon ynghyd, ac roedd popeth yn digwydd gydag urddas a didwylledd. Roedd yn brofiad dyrchafol. Mwynheais ymweld â'r ysgol hon, i ddysgu ac i fod yn rhan o'r holl gerddoriaeth. Roedd y plant yn frwd dros ddysgu, yn hollol foesgar ac yn hapus iawn.

Ymwelais hefyd ag Ysgol Uwchradd y Merched yn Bromsgrove, lle roedd myfyrwyr ar gyfer pob offeryn chwyth, gan gynnwys y baswn, a'r rheini'n fedrus ac yn frwdfrydig dros astudio. Mwynheais weithio yn yr ysgol hon bob amser.

Gofynnodd athrawes gerddoriaeth Ysgol Uwchradd y Merched, Kidderminster, i mi ddysgu yn 'y tŵr', mewn ystafell fechan iawn, heb ffenestr nag awyriad, ac a oedd yn oer ac yn dywyll. Doedd dim digon o le i osod un gadair hyd yn oed, heb sôn am ddwy ohonynt, na stand miwsig, na bwrdd i gydosod offerynnau arno. Gwrthodais ddefnyddio'r ystafell hon, ond doedd dim ystafell arall ar gael ac eithrio ystafell y cleifion! Doedd dim dewis i mi ond ei rhannu â phlentyn gwael!

Yn Ysgol Ramadeg y Brenin Edward VI yn Stourbridge hefyd, gwrthodais ddysgu lle y disgwylid imi weithio – oddi tan y llwyfan yn y Neuadd Gynnull, heb ffenestr nag awyriad, ac yng nghanol llwch ac ysbwriel! Dywedais nad oeddwn am annog fy nisgyblion i anadlu yn ddwfn yn y fath awyrgylch!

Cyn bo hir, pan dorrodd y newydd fy mod i wedi dychwelyd i'm cynefin, cefais wahoddiad unwaith eto i ganu – weithiau'r obo, weithiau'r baswn – mewn cyngherddau dros Ganolbarth Lloegr, gan gynnwys cyngherddau dan arweiniad Frank Edwards yn Kidderminster a Stourbridge. Roeddwn i wastad wrth fy modd yn canu gyda fy hen ffrind a chynghorwr.

Roedd yn ddiddorol gen i gymharu gwahanol agweddau a lefelau effeithioldeb y Cynghorwyr Cerddoriaeth, a'u heffeithiau ar agweddau'r athrawon a disgyblion yn yr ysgolion, ac ansawdd y gerddoriaeth. Roedd Peter Davies yn unigryw yn fy mhrofiad i, â'i fys ymhob brywes yn Sir Drefaldwyn er ei bod yn ardal fawr. Enynnodd barch y myfyrwyr a'u rhieni, ac roedd yn haelfrydig gyda'i amser, ei egni a'i ystyriaeth. Parhaodd i drefnu cyrsiau a chyngherddau, a'r rheini'n gyson o'r ansawdd gorau, a chefais fy nghynnwys ym mhob gweithgaredd gerddorol dros y Sir.

Yn Sir Gaerwrangon, ar y llaw arall, does gen i ddim cof i mi weld y Cynghorwr ar ôl f'apwyntiad yn y Sir. Chlywais i erioed am unrhyw weithgaredd gerddorol yna.

Yn Amwythig, cefais groeso yn Ysgol Briordy y Merched gan yr athrawes gerddoriaeth, yr oeddwn eisioes yn ei hadnabod fel cyfeilles, cerddor a chyfeilydd medrus dros ben. Roedd yr adran gerddoriaeth fel petai braidd yn annibynnol o'r Cynghorwr Cerddoriaeth. Roedd popeth yn iawn i mi yn yr ysgol hon.

Sut bynnag, roedd fy mhrofiad dros Sir Amwythig yn amrywiol. Ymwelais ag Ysgol Uwchradd y Merched, Coalbrookdale, yn ôl f'amserlen, a chefais groeso gan y brifathrawes, a oedd fel petai'n bryderus. Dywedodd wrtha i fod y prynhawn hwnnw yn amser mabolgampau, a bod pob un o'm disgyblion yn aelod o ryw dîm, a heb fod ar gael ar gyfer gwers offerynnol. Doedd dim amser arall posibl oherwydd eu polisi o beidio â thynnu merched allan o ddosbarthiadau i gael gwersi cerddoriaeth. Felly, roedd yn ddrwg ganddi, ond byddai'n amhosibl i mi ddysgu yno. Wedi cyrraedd adref, ysgrifennais lythyr at Gynghorwr Cerddoriaeth Sir Amwythig yn disgrifio fy mhrofiad. Chefais i erioed ateb.

Daeth bore heulog a disglair pan ymwelais, yn ôl f'amserlen, ag Ysgol Uwchradd Fodern y Bechgyn, Bridgnorth, Sir Amwythig. Euthum i mewn i'r cyntedd, lle roedd bechgyn swnllyd yn heidio i bob cyfeiriad. Nesäodd hogyn aflêr ataf i gyda rhestr yn ei law, dan ofyn: "Ai Miss Hunter ydych chi?" "Ie," atebais, "a wnei di fynd â mi at y Prifathro, os gweli di'n dda?" "Dw i i fod i fynd â chi i'r stafell lle y byddwch chi'n dysgu cerddoriaeth," meddai, gan droi tuag at y mynediad. Dilynais ef, yn llawn pryder, dros led cae aflêr, at ysgubor fach o frics. Gwthiodd y bachgen yr hen ddrws i ddangos ystafell dywyll a hollol wag. Ceisiais roi golau ymlaen. Roedd soced yn y nenfwd, ond heb fylb. Roedd un ffenestr fach fudr, o dan haenau o weoedd pryf copyn, ac yn hollol ddiwerth gan fod coeden enfawr, yn drwchus gan ddail, yn tyfu tu allan yn erbyn y gwydr. Doedd dim dodrefn o gwbl. Cragen wag o le os bu un erioed.

Meddyliais am funud fer, ac wedyn, meddwn wrth y bachgen: "Fuaset ti cystal â mynd at y Prifathro i ddweud fy mod i wedi gadael yr ysgol. Diolch am dy help." Teimlwn fy mod wedi fy sarhau. Unwaith eto, wedi i mi gyrraedd adref, ysgrifennais at y Cynghorwr, a disgrifio'n union beth oedd wedi digwydd yn yr ysgol y bore hwnnw. Ni chefais ateb. Euthum i byth yn ôl i'r ysgol honno.

Rywbryd yn ddiweddarach, teimlwn yn sâl drwy'r nos, a'r bore wedyn, sylweddolais fod y ffliw arnaf. Fedrwn i ddim mynd i'r dair ysgol yn Amwythig a Llwydlo y diwrnod hwnnw. Cefais drafferth i fynd i lawr y grisiau i ffonio Cynghorwr Sir Amwythig. Dim ateb yn ei gartref. Dim ateb yn ei swyddfa. Doedd dim amdani ond ffonio pob ysgol yn bersonol. Llwyddais i wneud hynny, ac ymlusgais yn ôl i'm gwely.

Ar ôl dau ddiwrnod, derbyniais lythyr oddi wrth y Cynghorwr, yn dweud wrthyf ei bod yn angenrheidiol i mi ffonio ei swyddfa ef os na allwn fynd i ysgol, a pheidio â ffonio yr ysgol fy hun. Hefyd, roedd yn angenrheidiol i mi anfon rhybudd o bedair awr ar hugain os na allwn i gadw apwyntiad.

Teimlwn yn ffyrnig dros ben. Ysgrifennais ar unwaith i ddweud yn union beth oedd wedi digwydd – pob manylyn. Dywedais nad oeddwn yn barod i deithio cant a hanner o filltiroedd bob tro, yn enwedig yn ystod y gaeaf garw 1962-3, ac yna derbyn triniaeth sarhaus fel 'na, ac ymddiswyddais o Wasanaeth Cerddoriaeth Sir Amwythig yn ddi-oed. Unwaith eto, ni dderbyniais yr un gair o ymateb.

Pennod 10

Tywydd teg

"Wyt ti wedi clywed am y coleg newydd yn Wolverhampton?" gofynodd fy nghyfeilles a'm cymdoges, a oedd yn canu'r fiola, wrth i ni fynd gyda'n gilydd i Stourbridge er mwyn canu mewn cyngerdd, rywbryd yng ngwanwyn 1963. Tynnodd ddarn o bapur o'i bag llaw a'i roi i mi. "Dyma hysbyseb o'r papur newydd. Mae arnyn nhw angen darlithydd cerddoriaeth. Dw i'n meddwl ei bod hi'n swydd addas i ti." Darllenais, a chytuno. Penderfynais holi am fanylion.

Ymgeisiais am y swydd. Doedd y coleg ddim nepell o'm cartref – oddeutu deng milltir – ac roedd o'n goleg ar gyfer oedolion a oedd â phrofiad naill ai o ddysgu heb dystysgrif neu mewn maes arall, gan gynnwys magu teulu. Roedd y coleg yn un o Golegau Cyfansoddol Ysgol Addysg Prifysgol Birmingham.

Cefais wahoddiad i gyfweliad y dydd Gwener dilynol, am hanner dydd. Dyna broblem: roedd yn rhaid i mi ddal trên i Lundain am un ar ddeg y diwrnod hwnnw er mwyn canu obo mewn ymarfer yn y prynhawn, cyn cyngerdd drannoeth. Ffoniais y Prifathro ac esboniais, gan ofyn a fyddai'n bosib i mi ddod yn gynnar. "Byddai," atebodd ar ei union. "Dewch am naw os ydi hynny'n fwy addas i chi. Peidiwch â phoeni." Ond roedd gen i un pryder arall: doeddwn i fy hun erioed wedi cael hyfforddiant fel athrawes – a choleg hyfforddi oedd hwn. Ta waeth, meddyliais, roeddwn i eisoes ar y rhestr fer – rhaid oedd i mi aros i weld.

Wedi cyrraedd y coleg, cefais fy nghyflwyno i William Stevens Ingley, Pennaeth yr Adran Gerddoriaeth. Roeddwn i wedi clywed sôn amdano fel cyd-fyfyriwr i Frank Edwards, a byddai ei enw'n ymddangos, bob yn ail â'm henw i, ar restr ymarferion organ Eglwys Halesowen, flynyddoedd maith ynghynt. Roedd yntau eisoes yn ymwybodol o'm henw i fel oböydd a cherddor.

Teimlwn yn gysurus trwy'r cyfweliad, ac roedd pawb yn gyfeillgar. Ar ddiwedd y cyfweliad, gofynnodd y Prifathro, Ronald Durham, i mi: "A elli di adael rhif ffôn ar dy gyfer yn Llundain, lle y gallwn ni ffonio yfory os byddwn ni'n penderfynu cynnig y swydd i ti?" "Gallaf," atebais, gan roi rif ffôn y teulu Bergmann, y byddwn i'n aros gyda nhw dros nos.

Canodd y ffôn drannoeth a dywedodd Ron Durham wrthyf mai fi oedd y dewis. A dderbyniwn y swydd? Yn bendant!

Daeth yr ail o Fai, 1963, ac euthum i gyfarfod staff y coleg. Yn gyntaf, daeth coffi a sgwrs, a chefais fy nghyflwyno i rai o'r bobl, gan gynnwys Victor, uwch-ddarlithydd yr Adran Gerddoriaeth, a oedd yn gyd-fyfyriwr i mi ym Mhrifysgol Birmingham. Dyna'r tri ohonom, cyn-fyfyrwyr o'r un brifysgol: Bill yn ganwr profiadol ar y piano a'r organ, Victor ar y ffidil, a minnau ar y chwythbrennau – cymysgedd dda iawn – ynghyd ag arbenigwyr rhan-amser, er enghraifft y tiwtor canu. Cefais fy nghyflwyno i bawb gan y Prifathro, ac roedd y cyfarfod yn drefnus a'r awyrgylch yn gyfeillgar.

Cyrhaeddodd y myfyrwyr drannoeth. Wedi i bawb ymgynnull, cafwyd anerchiad gan y Prifathro. Wedyn dosbarthwyd pob un i 'diwtor personol' yn unol â rhestr 'Grŵpiau Personol'. Roedd pob tiwtor yn gyfrifol am ryw ddeg o fyfyrwyr, dros gwrs tair blynedd, er mwyn cadw golwg ar bob agwedd o'u bywyd, yn bersonol ac yn addysgol.

Roedd y Coleg yn fywiog a phrysur, yn llawn o

gyfeillgarwch, hapusrwydd, gwaith caled, penderfyniad, llwyddiant a chyrhaeddiad. Roedd y naws yn tarddu o agwedd y Prifathro, a oedd yn gymorth i bawb, yn gyfeillgar ac egnïol, efo safonau uchel. Teithiai y myfyrwyr bob dydd o leoedd ar hyd Canolbarth Lloegr, Sir Amwythig, a hyd yn oed Glyn Ceiriog! Ychydig flynyddoedd yn ddiweddarach, cafodd yr 'Oakengates Outpost' ei sefydlu ger Amwythig, ar gyfer myfyrwyr o Sir Amwythig a'r gorllewin.

Câi myfyrwyr eu rhannu i ysgolion cynradd dros ardaloedd eang er mwyn gwneud 'ymarfer dysgu', ac roedd eisoes yn ddiddorol gen i fynd, fel cyfarwyddwr, i amrywiol ysgolion lle y cawn groeso cynnes bob amser gan brifathrawon. Yn aml iawn, câi myfyriwr gynnig swydd yn yr un ysgol ar ddiwedd ei gwrs. Roedd llawer o drafod rhwng aelodau staff y coleg, ac roedd pob un yn ymwybodol o beth oedd yn digwydd gydol yr amser.

Yn achlysurol, byddem ein tri, fel cerddorion, yn dadlau yn erbyn aelod yr Adran Addysg. Roedd Bill eisoes yn barod i amddiffyn ein hagwedd rhag y difrawder ynglŷn â manylion dysgu cerddoriaeth. Yn y chwedegau daeth 'rhyddid mewn addysg' yn arwyddair, ac roedd aelodau'r Adran Addysg yn tueddu i ddehongli syniad yn llythrennol, heb fwrw'r draul am ansawdd y canlyniad. Hefyd, cafodd ysgolion 'cynllun agored' eu hadeiladu, a daeth addysg gerddorol yn fwy anodd o lawer. Gan hynny, tueddai'r Adran Addysg i argymell 'cerddoriaeth rydd', a oedd yn gas gennym gan ei fod yn tanseilio ein cred yn gyfan gwbl.

Roedd Bill – fel fi fy hun – yn gysetlyd ynglŷn â chywirdeb pob manylyn mewn cerddoriaeth o flynyddoedd cyntaf y plentyn. Credem ei bod yn hollol annheg rhoi'r argraff i'r plentyn fod sain yn dderbyniol ac yn gywir os nad oedd yn fanwl gywir. Dywedodd un o aelodau'r Adran Addysg, a fu'n brifathrawes ar ysgol plant bach, wrth Bill yn ystod un o gyfarfodydd Bwrdd Academaidd y Coleg: "Ond rwyt ti'n disgwyl gormod, Bill – dydyn nhw ddim ond plant bach! Does dim o'i le cyn belled â'u bod nhw'n mwynhau canu."

Cododd y sylw hwn wrychyn y ddau ohonom, ond roedd Bill wastad yn urddasol ac yn dawel ei leferydd. Atebodd: "Wyt ti'n barod, Gertrude, i rwystro'r plant rhag magu cysyniadau cywir a allai atal eu datblygiad? Dyma'r amser pwysicaf ar gyfer gosod seiliau hollol gadarn, boed mewn clustfeinio, anadlu, brawddegu, ynganu geiriau yn glir gyda llafariaid a chytseiniaid cywir, neu ddysgu cynnal synau er mwyn i'r plant ganu'n gywir heb lefaru neu weiddi. Bydd yn rhaid iddynt ganu gyda thraw cywir a thôn o'r ansawdd gorau posibl. Dylai hyd yn oed athro neu athrawes sy ddim yn gerddor allu dysgu rhai o'r agweddau hynny, sy'n gyfystyr ag egwyddorion dysgu iaith. Mae'r un mor hawdd dysgu pethau cywir â rhai anghywir. Mae'n hysbys ei fod yn anodd iawn iawn dad-ddysgu cysyniadau anghywir ac ailddysgu'n gywir, mewn cerddoriaeth, fel mewn iaith, gan fod y ddau yn ymwneud â sŵn." Roedd Bill yn brofiadol iawn o ran dysgu plant bach i ganu, ac yntau wedi bod yn diwtor hŷn yn yr Ysgol Frenhinol Cerddoriaeth Eglwys dros flynyddoedd lawer.

Roedd aelodau'r Adran Addysg yn barchus iawn tuag at Bill a fi – rhag ofn iddynt gael darlith gennym, mae'n siŵr! Roedden ni'n wastad yn barod i gyfiawnhau'r gwirionedd, a dilynem ein pregeth ein hun. Dw i'n cofio trafodaeth gyda Phennaeth yr Adran Saesneg. Roeddwn yn cyfarwyddo myfyriwr ar ei ymarfer dysgu, a thynnwyd fy sylw at gywiriad gan y myfyriwr mewn llawysgrifen plentyn. Roedd yno gamgymeriadau heb eu cywiro, a gofynnais pam. Atebodd y myfyriwr: "Mae Miss B. wedi dweud wrthym am beidio â chywiro pob camgymeriad rhag ofn i'r plentyn ddigalonni." Dywedais innau: "Wel, dw i'n meddwl y bydd y plentyn yn credu fod popeth sy heb ei gywiro yn gywir. Rhaid i mi drafod gyda Miss B. Yn y cyfamser, gwna fel y gweli di'n ddoeth."

Trafodais y pwnc gyda Miss B., ac ategodd hithau'r farn. Dywedais wrthi na fyddai'r dull yn addas i gerddoriaeth gan ei bod yn rhaid amddiffyn y plentyn rhag magu cysyniadau anghywir a fyddai'n anodd iawn i'w dad-ddysgu; a phe na byddai'r camgymeriad wedi ei gywiro, y byddai'n credu ei fod yn gywir. Dywedodd hithau: "Pan oeddet ti'n ifanc, oni fyddet ti'n digalonni petai llawer o inc coch ar dy waith?" "Pan fyddwn i'n darganfod camgymeriadau heb eu cywiro," atebais, "byddwn yn teimlo'n rhwystredig iawn ac yn ddig, a byddwn i'n colli pob hyder yn f'athrawes."

Roeddem ni'n hapus iawn yn yr Adran Gerddoriaeth gan mai ni oedd yn hollol gyfrifol am gynllunio cyrsiau. Trafodem gyrsiau o dro i dro yng nghyfarfodydd Bwrdd Gwybodau Cerddoriaeth Prifysgol Birmingham, lle y gallem ni gymharu manylion efo tiwtoriaid o'r colegau eraill, ond ni fu raid i ni newid unrhyw fanylyn.

Parhawn i ddysgu yn Sir Drefaldwyn bob pythefnos. Ym mis Ebrill 1964, cefais wahoddiad i fynd gyda Peter Davies a'r Gerddorfa Ieuenctid a Chôr Merched Ieuainc Maldwyn, fel tiwtor chwythbren, i Baden Württemberg, yn ne'r Almaen, lle y cynhelid cyngherddau yn Crailsheim, Tübingen, Bad Waldsee, Fronhofen, Lindau a Kehl. Cafodd y plant groeso cynnes ym mhob man, a chafodd eu datganiadau dderbyniad brwdfrydig.

Roedd rhyw naw deg ohonom i gyd, wedi ein lletya mewn Hosteli Ieuenctid, ond nid oedd pob un yn lle hollol foddhaol i fyw ynddo. Mae gen i ddyddiadur lle y cofnodais:

"Dydd Sul, 6ed Ebrill: Yn ôl [ar ôl cyngerdd] i'r Hostel Ieuenctid, Tübingen, drwy'r glaw. Roedd ceir yn dod i'r dref gydag eira drostynt – tywydd yn oer iawn. Bygythiodd y Warden gloi hwyrddyfodiaid allan. Dim bwyd na diod i neb. Roedd dwy ferch dan glo mewn toiledau, ar loriau gwahanol, ac roedd y Warden wedi ymgolli am amser hir cyn eu rhyddhau, heb wybod am absenoldeb Hywel Edwards! Aeth Mrs Owen i'w gwely, ond daeth allan yn gyflym gan fod dŵr o'r toiled drws nesaf yn dod o dan ddrws ei stafell wely. Rhawiodd y Warden ddŵr i bwced am ugain munud, ar ôl iddo drwsio'r toiled. Ar unwaith, daeth Peter gyda chewyll o ddiodydd ysgafn, a'u rhannu ymysg y merched [a oedd, erbyn hyn, wedi bod heb fwyd na diod am dros bedair awr], y mwyafrif ohonynt yn gwisgo dillad nos a chyrlwyr. Roedd John wrthi'n trafod switsh y golau, oedd yn diffodd pob ychydig eiliadau, tra oedd Beryl a fi i fyny'r grisiau, yn cadw golwg ar y dŵr. Daeth Hywel yn ôl, ac agorodd y Warden y drws, yn anfoddog iawn. Roedd ein hystafell ni'n dal i fod yn wlyb iawn, ac felly aethom ni i noswylio i ystafell gysgu'r plant.

Dydd Llun: [Ar ôl parti hwyr yn Schloss Waldburg, wedi ei ddarparu gan y Burgomeister. Noson o ddifyrrwch, gyda gormod i'w yfed, a datganiadau gan yr Almaenwyr, 'What shall we do with the drunken sailor?', 'molto lento' a 'con molto duolo'!] Roedd y nos yn dywyll iawn, ac roedd rhaid i ni ddringo 333 o risiau llithrig, gyda chanllaw wedi torri – yn beryglus iawn – i'r Hostel Ravensburg, hen gastell ar y bryn. Roedden ni eisoes wedi bod yno i adael ein bagiau cyn y parti. Roedd Peter a'r staff gwrywaidd wedi penderfynu nad oedd ystafell y bechgyn yn ddigon da, a threfnwyd lleoedd iddynt aros yn y dref. Roedd y Castell yn oer iawn, ond addawsai'r Warden ddarparu gwres cyn i ni ddod yn ôl yn hwyrach. Erbyn i ni ddod yn ôl, roedd y ffwrneisiau wedi eu cynnau, ond doedd neb wedi aros yn y castell ers misoedd, a doedd o ddim wedi ei wresogi o gwbwl dros y gaeaf. Roedd y gwelyau yn wlyb ac yn oer, a thra codai'r gwres, codai'r stêm hefyd. Cysgem (?) yn ein dillad, gan gynnwys ein cotiau glaw. (Doedd dim ond dau dŷ bach, yr un ohonynt â golau, rhwng 52 ohonom!)

Dydd Mawrth: Methu ymolchi nac yfed – roedd anifeiliaid bach yn y dŵr. Trefnwyd ymweliad â ffatri gaws, lle y rhoddodd y rheolwr fara a chaws, menyn, llaeth, a llaeth siocled diderfyn inni. Efallai ei fod wedi synnu at ein chwant mawr!"

Roedd y profiad yn un cymysg mewn agweddau eraill hefyd, ond, yn bwysicach na dim, roedd y plant ar eu gorau, ac roedd eu cerddoriaeth yn ardderchog. Rhoddasant o'u gorau, ac roedd datganiadau'r Gerddorfa Ieuenctid, yr unawdydd, a'r Côr Merched Ieuainc o'r ansawdd gorau posibl. Roedd y gynulleidfa Almaenaidd yn werthfawrogol dros ben. Roedd y digwyddiad yn llwyddiant ysgubol, diolch i Peter Davies, gyda'i baratoadau trylwyr, ei frwdfrydedd, a'i arfer o feithrin y safonau uchaf yng ngherddoriaeth y plant.

Yn fuan ar ôl hynny, gadawodd Peter Davies i gael swydd yn Ne Lloegr. Roedd yn golled fawr i'r Sir, ei cherddoriaeth a'i hieuenctid. Daeth rhywun i gymryd ei le, ond heb fod ganddo nodweddion hanfodol Peter. Mewn byr amser, ymddiswyddais o Wasanaeth Cerddoriaeth Sir Drefaldwyn.

Gyda hyn, cefais anogaeth gan Brodie, gyda sêl bendith Ron Durham, i ailddechrau ar f'ymchwil, y tro yma yn Adran Seicoleg Gymhwysol Prifysgol Aston yn Birmingham, i'w gyfuno gyda'm gwaith llawn amser yn y Coleg yn Wolverhampton. Roedd y cyfnod y bûm wrthi gyda'r ymchwil braidd yn estynedig gan fy mod yn aml â fy holl fryd ar afiechyd fy rhieni. Ymhen hir a hwyr, cyflawnais yr ymchwil, gwrthbrofais fy rhagosodiad gwreiddiol, cyflwynais draethawd a chefais radd M.Sc. mewn Seicoleg Gymhwysol ym 1970.

Ar ôl marwolaeth fy nhad ym 1967, cefais wahoddiad i fynd i ddysgu mewn ysgol haf yn Institiwt Carl Orff, sy'n rhan o'r Mozarteum, academi gerddoriaeth Salzburg, fel athrawes recorder, gyda Dr Bergmann, a darlithio ar agwedd o'm dewis fy hun ynglŷn â Cherddoriaeth mewn Ysgolion. Daeth myfyrwyr, a oedd eisoes yn athrawon, o bedwar ban byd yno, a hwythau ag ystod eang o ruglrwydd yn yr iaith Saesneg, ac roedd yn her i mi gynllunio a thraddodi fy narlith, a siarad yn ofalus iawn, er mwyn imi fod yn hollol ddealladwy i bob un ohonynt.

Euthum bob blwyddyn am ddegawd i Salzburg i roi cyfraniad eitha tebyg yn y cwrs, a dysgais dipyn go lew am egwyddorion a dull Carl Orff o ddysgu cerddoriaeth i blant. Roedd ganddo gred ym mhwysigrwydd undod yn y celfyddydau perfformio. Roedd darpariaeth yn yr Orff Institwt ar gyfer dysgu ac ymarfer pob gallu – gofod, cyfarpar ac athrawon – boed leferydd, symudiad, dawnsio, actio, canu, canu offerynnau taro (heb eu tiwnio a thiwniedig), a chanu offerynnau eraill. Credai Orff fod yn rhaid astudio pob un o'r medrau elfennol ar wahân, yn gywir ac yn drylwyr, a gosod seiliau cadarn ym mhob agwedd o'r medr o flynyddoedd cyntaf y plentyn. Hefyd, credai fod rhaid eu cyfuno, cyn gynted ag y bo modd, hyd yn oed ar lefel syml iawn, mewn perfformiad naill ai wedi ei ddysgu neu'i ddyfeisio, ond yn wastad o'r ansawdd gorau posibl. Roedd yn rhaid i athrawon ddeall egwyddorion sylfaenol pob agwedd ar astudio'r celfyddydau perfformio. Deuai hwyl, nid fel amcan, ond fel canlyniad y profiadau hynny, ac roedd y brwdfrydedd yn heintus.

Roeddwn i'n hoff o deithio i Awstria ar fy mhen fy hun yn fy nghar, ac, ar ôl 1973, yn fy ngharafán-fodur er mwyn bod yn fwy rhydd. Awn ar hyd ffyrdd gwahanol bob blwyddyn, gan gynnwys bylchau trwy'r mynyddoedd a ffyrdd na wyddwn i amdanynt o'r blaen, a darganfûm ardaloedd a golygfeydd rhyfeddol o'r fath na welais i erioed.

Cafodd Ron Durham ddyrchafiad i swydd yn y Coleg Polytechnig yn Birmingham (Prifysgol Canolbarth Lloegr yn ddiweddarach), yn gynnar yn y saithdegau, a chollais gysylltiad ag ef. Ef oedd wedi annog Bill a finnau i ysgrifennu llyfr ar gyfer dysgu cerddoriaeth i blant, yn addas i fyfyrwyr Coleg Wolverhampton. Cawsom anogaeth hefyd gan y Pwyllgor Cerddoriaeth Ysgolion – rhan o Gymdeithas Gorfforedig y Cerddorion yn Llundain – a ninnau'n aelodau o'r Pwyllgor, i wneud yr un peth. Gyda hyn, gan hynny, aethom ati i baratoi llyfr gyda'n gofal arferol. Fi oedd yn gyfrifol am y teipysgrif a chydosod a Bill yn gyfrifol am yr hysbysebu a dosbarthu, a chyhoeddwyd y llyfr, *Music for Today's Children,* ym 1973. Cawsom ddigon at ein treuliau, gyda dipyn bach bach dros ben.

Ym mis Gorffennaf 1973, a minnau yn Salzburg, aeth fy mam a Mary i fyw gyda Doris ym Mhontesbury, Sir Amwythig. Bu farw fy mam yn sydyn o drawiad ar y galon cyn i mi ddod yn ôl adref. Parhaodd Mary i fyw gyda Doris (er ei bod braidd yn anfodlon) gan na allai fod wedi byw ar ei phen ei hun. Arhosais yn yr Ardal Ddu am ddwy flynedd ychwanegol, ac wedyn symudais i fyw mewn tŷ gyferbyn â bynglo Doris, a threfnodd hi â'r perchnogion (oedd am symud i Surrey) iddynt werthu'r tŷ i mi, gan ei bod hi'n frwd dros fy nghael wrth law. Cytunais gan fy mod yn credu y gallwn fod ar gael i rannu'r cyfrifoldeb am Mary. Er bod y daith i'r Coleg yn Wolverhampton yn bedwar deg milltir bob dydd, gwyddwn y byddwn yn ymddeol ar ôl pedair blynedd ar y mwyaf – ar ôl rhyw bymtheng mlynedd hapus iawn yn y coleg.

Cyn i mi ymddeol, fodd bynnag, penderfynais ymgeisio am benodiad fel Arholwr Cerddoriaeth yng Ngholeg Cerddoriaeth y Drindod yn Llundain. Cefais gyfweliad gan y Prifathro, y Dr Greenhouse Allt, a chefais fy mhenodi yn y fan. Arholais mewn trefi amrywiol ar hyd a lled Lloegr, yr Alban a Chymru, a chefais gryn dipyn o brofiad.

Roedd hwn yn gyfnod o newid sylfaenol mewn sefydliadau

addysg. Cafodd prifysgolion newydd eu sefydlu yn lle colegau polytechnig, a chafodd rhai o'r colegau addysg eu cyfuno. Roedd Coleg Addysg Wolverhampton i Fyfyrwyr Dyddiol wedi rhagweld y newidiadau hyn, ac ni dderbyniwyd rhagor o fyfyrwyr ers dwy flynedd. Roedd rhai o aelodau hŷn y Staff, a minnau'n un ohonynt, wedi derbyn amodau da ('amodau Crombie') ar gyfer gormodedd. Cafodd y lleill eu symud i golegau eraill. Ar ddiwedd tymor yr haf 1978, ymddeolais. Daeth y Coleg i ben, ac, ar ôl wythnos, dymchwelwyd yr hen adeilad, wrth i ran olaf y ffordd osgoi newydd o gwmpas Wolverhampton gael ei adeiladu – trwy ganol safle ein coleg! Ni ddaw doe byth yn ôl!

Codi adain

Serch fy mod i'n byw mewn tŷ cysurus (a oedd, a dweud y gwir, yn rhy fawr i mi) â gardd fawr, mewn pentref iachus yn y wlad, ro'n i'n teimlo mai ar y cyrion roeddwn i. Ymwelai Doris â fi, a minnau â hithau, o dro i dro, yn hapus fwy neu lai, ond teimlwn fy mod i'n cael fy ngwylio trwy'r amser, yn enwedig pan ddeuai ffrindiau i ymweld â mi. Tybed fy mod i wedi gwneud camgymeriad am y trydydd tro!

Rhoesai Doris ei char i'w chyfaill, Bob – ei hunig ffrind. (Roedd Doris, fel fy nhad, yn anghymdeithasol ac yn amau cyfeillgarwch.) Unwaith, cynigiais i Doris a Mary ddod i Dorset – hoff sir Doris – ar wyliau byr gyda mi yn fy ngharafân-fodur. Wedi i ni gyrraedd a pharatoi i noswylio, gwrthododd Doris â chysgu yn y garafân, er ei bod yn gysurus â dau wely dwbl a digon o ddillad gwely. Mynnodd gysgu yn ei phabell fach, a Mary gyda hi – heb fawr o ddewis – ar lawr gerllaw. Drannoeth, cwynodd Doris bod ei choesau fel pren, a mynnodd fy mod i'n mynd â nhw adref yn ddi-oed. Er imi geisio'n galed i wneud Doris yn gysurus yn ystod y daith adref, mynnodd hi fynd heb aros yn unman, a chwynodd am y garafân a'i diffyg cysur trwy gydol y daith. Dyna'r tro olaf imi gynnig iddi hi fynd i unrhyw le gyda mi.

Weithiau, cyn i mi ymddeol, pan ymwelwn â Doris, byddai ganddi ymwelydd arall, sef ei chyn-feddyg, Jimmy, a oedd erbyn hyn wedi ymddeol yn gynnar, oherwydd afiechyd. Roedd ganddo yntau hefyd garafân-fodur, a brwdfrydedd am deithio, yn ogystal â chanu'r piano. Dywedodd fod ei biano yn amhosib ei thiwnio oblegid henaint ac effaith lleithder ei dŷ ar y fframwaith coed. Awgrymodd Doris efallai y byddwn i'n fodlon iddo ymweld â fi er mwyn canu fy mhiano i. Gan hynny, aethom ar draws y ffordd, a chanodd o yn hapus iawn. O ganlyniad, trefnwyd i Jimmy gael allwedd fy nhŷ gan Doris er mwyn iddo gael canu'r piano pan fyddwn i yn y coleg.

Yn aml iawn, byddai Jimmy yn aros nes i fi ddod adref, a sgwrsiem gyda'n gilydd. Cyn bo hir, gofynnodd Jimmy a fyddai'n bosib iddo ddod i fyw gyda fi, ac atebais – er syndod i mi fy hun – yn gadarnhaol. Roedd o wedi egluro wrthyf yn union pam na allai ein cyfeillgarwch fyth fod yn fwy na phlatonig, a deallwn yn llwyr.

Torasom y newydd i Doris, a oedd wrth ei bodd. Ond drannoeth daeth hi draw unwaith eto, mewn hwyliau drwg a beirniadol, gan ddweud ei bod hi wedi ail-feddwl, a phenderfynu na allai hi ddim derbyn ein perthynas oherwydd ei hegwyddorion moesol. Dywedasom ninnau ei bod hi'n ddrwg gennym glywed mai dyna oedd ei hagwedd, ond na fyddai unrhyw beth yn newid. Dywedodd Jimmy ein bod yn barod i roi help llaw gyda gofal Mary. Atebodd Doris na fedrai ganiatáu i Mary fod mewn perygl o gael ei llygru gan y 'cysylltiad anfoesol'. Boed felly, meddwn, heb drafod ymhellach. Cyn bo hir, daeth y pentrefwyr yn gyfarwydd â'r sefyllfa, ac roeddynt yn hapus iawn gan i Jimmy fod yn feddyg da iawn a gofalus o bawb, ond ei fod ers rhai blynyddoedd wedi bod yn ddigalon, yn wael ei iechyd, a heb ofal yn ei gartref, a'i fod felly yn haeddu hapusrwydd o'r diwedd.

Ym mis Medi 1978 (ar ôl i mi ymddeol ym mis Gorffennaf), derbyniais wahoddiad i fynd fel Arholwr Cerddoriaeth i Awstralia, i Dde Cymru Newydd, am rhyw ddau fis cyn Nadolig. Rhoddodd Coleg y Drindod, Llundain, ganiatâd i mi fynd â Jimmy gyda fi, oherwydd afiechyd difrifol dau arholwr o'm blaen, ac roedd yn syniad da cael cwmni meddyg. Ym mis Hydref, aethom i Sydney, ein prif safle, ac aethom i fyw i'r 'Hampton Court Hotel', lle roedd rhandy helaeth ar lawr uchaf, wedi ei gadw i ni gan Goleg y Drindod, Llundain. Ffoniais Gynrychiolydd y Coleg yn Sydney. Yn ôl f'amserlen, roedd yn rhaid i mi ddefnyddio 'cludiant lleol' rhwng canolfannau arholiad, ond dwedodd hi mai lol oedd hynny ac y byddai'n well inni hurio car. A diflannodd hithau ar wyliau hir i Fynyddoedd yr Eira!

Yn gyntaf, roedd rhaid inni hedfan, yn unol â'm hamserlen, i Brisbane, ac yn ystod fy nghyfnod yn arholi yno, cafodd Jimmy gar ar osod, a mapiau. Roedd yn rhaid imi weithio mewn rhai trefi rhwng Brisbane a Sydney. Doedd ansawdd y ffyrdd mawr ddim yn dda, gyda wagenni enfawr a chyflym. Roedd pellterau rhwng safleoedd arholiad yn hir iawn, gyda dim ond coed ewcalyptws bob ochr i'r ffordd am filltiroedd. Tra oeddwn i wrth fy ngwaith, aeth Jimmy i chwilio am fotelau addas i ni noswylio ynddynt. Yn ôl yn Sydney, dychwelsom i'r Hotel, ac ar ôl i ni gael gwared â dwsenni o chwilod mawr du o'r gegin fach, cawsom bryd o fwyd, wedi ei brynu ar y ffordd adref.

Roedd safon y datganiadau yn amrywiol iawn, rhwng y diwerth a'r rhagorol, a hynny'n ddibynnol, yn ôl y disgwyl, nid yn unig ar ansawdd y tiwtoriaid, ond hefyd ar ba mor ynysig y byddai rhai lleoedd. Roedd yn rhaid imi groesawu pob ymgeisydd, clustfeinio ac ysgrifennu beirniadaeth ar yr un pryd fwy neu lai, rhoi profion gwrando, a chynnal awyrgylch ddymunol trwy gydol yr amser er mwyn i bob un wneud ei orau – y cyfan yn ôl f'amserlen. Byddwn yn ysgrifennu awgrymiadau ar gyfer gwelliant, ac yn nodi'r nodweddion gorau. Bid a fo am hynny, cefais hwyl ar wneud y gwaith, er fy mod i wedi blino'n llwyr ar ddiwedd y dydd.

Rhoddodd pawb groeso cynnes a charedig i ni trwy gydol ein taith. Dw i erioed wedi bwyta cymaint o baflofa ag y gwnes i yn Kiama, lle roedd y tymheredd yn y nawdegau yn ystod pedwar diwrnod yr arholiadau. Ymwelais â Choleg Adfentyddion y Seithfed Dydd, lle diarffordd gyda dwy fil o fyfyrwyr, lle y gwaherddid bwyta na chig na physgod, ac yfed na the, coffi, nac alcohol, ac ysmygu. Weithiau, yn ystod y dydd, deuai rhywun ataf gyda phlatiaid enfawr o deisen ffrwythau ddanteithiol wedi ei berwi, a chawn ginio enfawr am hanner dydd!

Yn ôl i Sydney, ac yna i Wagga Wagga. Drannoeth, mewn awyren ac ynddi le i bump, i Canberra, lle roedd y trefniant yn aneffeithlon dros ben, yn bennaf oherwydd henaint Cynrychiolwr Coleg y Drindod yno. Cawsom ginio yn y Clwb Albanaidd, lle roedd mwy o frethyn brithwe nac yn yr Alban gyfan – gormod i Jimmy, ac yntau'n Albanwr ei hun!

Ar ddiwedd diwrnod rhwystredig, dywedodd y Cynrychiolydd fod yn rhaid inni fynd i Cooma, saith deg milltir i'r de, er mwyn dechrau gweithio yn gynnar drannoeth. Doedd dim sôn am Cooma ar f'amserlen, ond penderfynnais fod rhaid imi fynd yno, achos roedd rhyw ddeg ar hugain o ymgeiswyr oedd yn disgwyl arholiad. Dywedodd y Cynrychiolwr fod yn rhaid inni fynd ar fws y gweithwyr yn gynnar iawn drannoeth, gan fod y bws yn stopio'n aml iawn ar y ffordd. Roedd Jimmy wrth law, a dywedodd fod yn rhaid inni fwrw iddi gyda hurio car. Ni wrandawsom ar gynghorion y Cynrychiolwr ynglŷn â'r perygl o fynd ar goll ar y ffordd, ac, ar ôl i ni fwyta, gyrrodd Jimmy y saith deg milltir, ar hyd ffordd syth, i Cooma.

Roedd Cooma yn lle ardderchog, a merch Ddanaidd hyfryd oedd y Cynrychiolydd. Cawsom groeso cynnes a choffi yn ei chartref, ac roedd y diwrnod yn drefnus dros ben. Gweithiais wrth fy mhwysau, yn hapus iawn. Yr ymgeisydd olaf oedd y Cynrychiolydd ei hun, ac roedd ganddi hi allu eithriadol. Rhoddais farc anarferol o uchel iddi yn ei harholiad diploma fel athrawes gerddoriaeth, ac roedd ei gallu yn amlwg yn natganiadau ei myfyrwyr.

Dilynwyd hynny gan dair wythnos o arholiadau yn Sydney, ac roedd gan Jimmy gyfle i fynd i weld golygfeydd yr ardal. Roedd y tywydd yn boeth dros ben, a chlywsom garolau Nadolig o ddrysau agored y siopau. Roedd yn rhaid imi weithiau fynd ar y trên i gyrion Sydney er mwyn ymweld â chanolfannau arholiad yng nghartrefi preifat y tiwtoriaid. Roedd y tai yn fawr ac yn gysurus dros ben, a chefais groeso cynnes ym mhob man. Dw i'n cofio un tŷ â gardd fawr, lle roedd yn amhosib i'r teulu ddefnyddio rhan helaeth ohono, gan fod corynnod 'funnel-web' a nadroedd ymosodol a gwenwynig iawn wedi gwneud eu cartref yno.

Gan amlaf, byddai ansawdd y gerddoriaeth yn dda iawn, o ganlyniad i ddylanwad 'Conservatoire Cerddoriaeth' Sydney. Daeth un dyn ymlaen fel ymgeisydd diploma – dyn ifanc, fel pin mewn papur, yn llawn hunanhyder – ac ar ôl y cyfarchion arferol, gofynnodd: "Ai chi yw'r Miss Hunter ysgrifennodd y llyfr sy'n llyfrgell y Conservatoire?" "Beth ydy teitl y llyfr hwnnw?" gofynnais. "*Music for Today's Children*," atebodd. "Ie, fi ydi honno!" meddwn, wrth ddechrau'r arholiad. Nid ennillodd farciau ychwanegol, ond roedd ei berfformiad yn fedrus dros ben!

Mewn eglwys fawr yn Sydney y cynhaliwyd arholiad olaf fy nhaith yn Awstralia. Daeth dyn ymlaen fel ymgeisydd diploma uchaf canu'r organ. Roedd o'n ddyn tawel a chwrtais, ond yn eithaf hyderus. Roedd ei ddatganiad o'r ansawdd gorau ymhob agwedd, ac ef yn ddi-os oedd ymgeisydd mwyaf medrus yr holl daith. Ar ddiwedd yr arholiad, gwahoddodd fi yn ôl i'r eglwys yn yr hwyr, er mwyn i mi gael mynychu gwasanaeth carolau Nadolig. Dydw i erioed wedi profi gwasanaeth mor gaboledig, na chynt na chwedyn. Roedd f'ymgeisydd wedi talu sylw i bob manylyn, wedi hyfforddi'r côr, ac ef oedd yr arweinydd a'r organydd hefyd. Profiad hynod dros ben i gwblhau f'ymweliad ag Awstralia!

Morio

Wedi inni fod yn byw yn y pentref am ychydig fisoedd, a minnau'n dal i arholi weithiau ac yn beirniadu mewn gwyliau cystadleuol cerddorol mewn amryw drefi, dechreuodd Jimmy deimlo ei fod yn destun sylw gan fod Doris mewn tŷ cyfagos. Awgrymodd imi werthu fy nhŷ er mwyn inni symud yn agosach i Amwythig. Byddai'n well gen i fy hun gael tŷ llai, ar gyfer fy henaint, a byddai'n haws imi gychwyn teithiau gyda'r trên pe byddwn yn nes at yr orsaf reilffordd. Hefyd, o'i ran o, byddai'n nes at yr ysbyty a'r meddygon wrth iddo fynd yn fwy dibynnol arnyn nhw. Teimlwn ei fod yn syniad da iawn, a dechreuais i chwilio am fynglo mewn lle addas i ni'n dau.

Cefais lawer o daflenni a oedd yn disgrifio tai ar werth, ac, ar ôl i ni fynd i weld rhai ohonynt, dewisasom fynglo ar gyrion gorllewinol tref Amwythig. Mi brynais y bynglo hwn, a symudasom ar y pedwerydd o fis Awst 1980 – diwrnod pen-blwydd y Fam Frenhines yn bedwar ugain. Roedd llawer o waith i'w wneud arno, oblegid esgeulustra ar ran y gwerthwyr, a oedd mewn gwth o oedran, ond roedd yn her inni addasu'r tŷ i'n dull ni o fyw.

Parhawn i arholi o dro i dro, ond ar ôl penodiad ysgrifennydd newydd yn Adran Coleg y Drindod, Llundain, daeth amserlenni yn fwyfwy tyn ac anodd eu dilyn. Roedd hi fel petai gan yr ysgrifennydd newydd lai o ddealltwriaeth o ddaearyddiaeth y gogledd, yn enwedig yn achos cludiant cyhoeddus, a châi'r defnydd o gar preifat ei wahardd, fwy neu lai. Unwaith, gofynnodd i mi fynd i Fanceinion ar y trên er mwyn arholi, drannoeth, mewn canolfan ar gyrion y ddinas. Archebwyd lle i mi aros dros nos mewn gwesty ynghanol y ddinas, a thrannoeth, roedd yn rhaid imi gael tacsi yn gynnar ar gyfer taith o dros awr. Ar ôl yr arholiad, cefais dacsi yn ôl i'r ddinas, ac euthum ar y trên i Amwythig, a dal tacsi arall adref. Roedd honno'n daith ddrud i'r coleg, ac yn wastraff amser i mi. Petawn i wedi cael mynd yn fy nghar, gallaswn fod wedi gwneud popeth mewn un diwrnod, gan nad oedd y ganolfan arholi yn ddim ond hanner can milltir o'm cartref!

Cefais wahoddiad i arholi yn Seland Newydd am sawl mis, ond roedd yn rhaid imi ei wrthod, gan na allwn i ddim gadael Jimmy am amser hir fel 'na, a byddai'n ormod o ymdrech ac yn rhy ddrud iddo fo ddod gyda fi. Dywedais wrth ysgrifennydd y Coleg ei fod yn gyfnod rhy hir imi fyw oddi cartref. Toc wedyn, daeth gwahoddiad i mi fynd i Seland Newydd, Japan ac amryw o wledydd eraill, gan gynnwys Corea, am gyfnod o bron i flwyddyn! Gwrthodais unwaith eto. Deuai'n amlwg fod Jimmy'n gwanychu ac am ddod yn fwy dibynnol arnaf. Yn wyneb y ffeithiau, penderfynais ymddiswyddo fel arholwr, a hefyd fel beirniad gwyliau cerddoriaeth ar yr un pryd.

O fewn ychydig o wythnosau, gofynnodd Jimmy imi: "A wyt ti erioed wedi bod yn Nenmarc?" "Erioed, gwaetha'r modd," atebais. "Beth am fynd yno yn y garafán?" gofynnodd. "Syniad da!" atebais. Gwneuthum ymholiadau ynghylch y fordaith, a phenderfynasom hwylio dros Fôr y Gogledd o Harwich i Esbjerg.

Yn gyntaf, aethom i Odense, lle y gwelsom dŷ Hans Andersen – tŷ tlws a lliwgar, fel y rhan fwyaf o dai y dref, ac, a dweud y gwir, ar draws Denmarc gyfan, lle roedd popeth yn lân, ac roedd yr adeiladau yn addurnol ac yn chwaethus.

Ymhen tipyn, daeth tywydd garw – glaw a gwynt nerthol – ac roedd yn rhaid inni aros yn y garafán. Darllenasom lyfr yn uchel, bob yn ail, sef *The Riddle of the Sands*, a oedd wedi ei ysgrifennu ym 1903 gan Erskine Childers. Stori oedd hi ynglŷn â'r bygythiad am ymosodiad ar Loegr gan yr Almaenwyr, o ynysoedd gorllewinol Denmarc. Wedi i'r tywydd wella, a ninnau wedi sychu ein dillad glân – gan fod glaw wedi treiddio i mewn i gwpwrdd dillad y garafán – aethom i ymweld â threfi a oedd yn ymddangos yn y stori, sef Mommark a Sønderborg ar Ynys Als, dros y Môr Baltig. Mwynhaem grwydro rhwng ynysoedd ar y fferïau lleol. Awn i siopa o dro i dro, ond, er mawr ofid imi, allwn i ddim deall yr iaith Ddaneg! Ymwelsom â llawer o ynysoedd a threfi dros Ddenmarc, ac roedd yn wyliau dymunol iawn.

Roedd yn rhaid inni newid tocynnau ar gyfer y daith adref, ac roedd rhaid imi ddod o hyd i Gonswliaeth Prydain cyn mynd i'r Swyddfa Deithio. Chwiliais yn galed am y Conswliaeth, ac ymhen amser, darganfyddais hi - yng nghanol bragdy!

Dôi'n anodd iawn i Jimmy gerdded, oherwydd pwysau mawr (yr oedd, i raddau, wedi'i etifeddu gan ei fam), llid y cymalau a gordyndra, ac roedd y clefyd melys arno hefyd – heb sôn ei fod yn colli'i olwg yn ei lygad dde. (Gallai ddal i yrru yn gyfreithlon.) Felly, roedd braidd yn amhosibl iddo fynd i unrhyw le heb garafán-fodur, ac roedd yn rhaid inni drefnu teithiau ymlaen llaw, oblegid roedd o'n hoff iawn o yrru – er iddo achosi cryn dipyn o bryder imi eisoes ynglŷn â hynny.

Aem weithiau i Ffrainc, ac ymwelsom â phob ardal yno. Fel arfer, byddem ni'n osgoi ardaloedd hoff gan ymwelwyr. Roedd Burgundy yn un o'n hoff ardaloedd, oherwydd ei hanes a'r gwaith llaw Rhufeinig, yn ogystal â'r golygfeydd hyfryd. Hefyd, mwynhaem Alsace-Lorraine lle roedd gwersyllfa dda iawn yn Ribeauvillé – tref lle roedd tartenni sawrus danteithiol dros ben ar gael – a hen dref fach gyfagos Riquewir, a oedd yn atyniadol gyda 'stryd fawr' fach, syth a chul iawn, gyda nythod storciaid ar ben simneiau. Buaswn wedi hoffi mynd yn ôl ar draws Mynyddoedd Jura, ond roedd Jimmy'n llai brwd i yrru yno. Roedd yn amlwg fod Jimmy wrth ei fodd pan fyddem ni ar wyliau dramor, er ei bod wastad yn amhosibl iddo gerdded na gwneud unrhyw beth i'm helpu i yn y garafán, fel codi a gostwng y to er mwyn trefnu'r gwely yn uwch, na darparu cinio. O'm rhan i, roedd y bywyd yn eithaf tebyg i weithio gartref, ond mewn lle mwy cyfyng!

Cafodd Jimmy ei eni yn yr Alban, nid nepell o Gleneagles – lle y byddai'n ymweld ag ef o dro i dro, pan oedd o'n ifanc, gyda'i fam, i gael te prynhawn. Mynnodd rannu'r profiad â mi. Felly aem yno weithiau dros y Sul, gan fwynhau'r awyrgylch o wychder a swyn hen ffasiwn – ac, o'm rhan i, y pwll nofio gwych dan do – yn ogystal ag awyr iach yr ardal. Ymhen amser, euthum innau â hen gyfeilles yno er mwyn rhannu'r profiad gyda hithau. Er siom fawr imi, roedd y croeso cynnes ar goll, ynghyd â'r awyrgylch unigryw, a'r holl geinder hen ffasiwn gynt. Gadawsom, heb awydd ailymweld.

Darllenodd Jimmy hysbyseb ynglŷn ag ailddechrau teithiau ar drên yr *Orient Express*, a phenderfynodd fynd am daith dros Ewrop. Aethom ar drên *Pullman* o orsaf Fictoria, Llundain, i Folkestone mewn cysur mawr. Gadawsom y trên i groesi ar long fferi i Calais, lle roedd cryn dipyn o daith i'w gwneud ar droed i'r orsaf lle'r arhosai yr *Orient Express* gwreiddiol. Bob tro yr oeddem yn newid cerbyd, roedd yn rhaid i Jimmy ddefnyddio'r gadair olwyn, a oedd wedi ei harchebu cyn inni fynd ar y daith. Weithiau, roedd yn rhaid inni aros i rywun ddod â'r gadair olwyn iddo, a theimlem yn ofidus rhag inni gael ein gadael ar ôl.

Er bod trên yr *Orient Express* wedi ei hadnewyddu drwodd, gyda gwaith pren caboledig ym mhobman, roedd ein hadran ni yn gyfyng am le, ac yn anghysurus iawn. Er bod y seddi yn newydd sbon, roeddent yn gul ac yn galed! Roedd yr ystafelloedd cyhoeddus yn enfawr ac yn fwy cysurus, ond doedd gennym ddim awydd eu defnyddio bryd hynny, gan fod Jimmy yn teimlo braidd yn wael. Yn ystod rhan gyntaf y daith, roedd yr ardal yn ddiflas yr olwg, wrth inni deithio trwy leoedd diwydiannol yn Ffrainc, ond ymhen hir a hwyr, cyraeddasom ardaloedd gwych y Swistir. Yn anffodus, daeth yr hwyr, a diflannodd yr olygfa i dywyllwch y nos!

Roedd Fenis yn orsaf derfynol, a threuliasom ychydig ddyddiau yno, yn ymweld â'r adeiladau yn Sgwâr Sant Marc, ac wedyn yn mynd mewn 'agerfad' ar hyd y camlesi er mwyn gweld y ddinas gyfan. Aethom i ynysoedd Torcello a Burano, a hefyd i Murano lle y gwelsom waith gwydr. Roedd popeth yn ddrud ofnadwy, ac roedd yn rhaid inni gadw cyfrifon yn ofalus – gwaith go anodd, gan fod y gyfradd gyfnewid yn 2,300 lira i'r bunt!

Wrth baratoi i fynd adref, cyfnewidiasom y gweddill o'n lira, ac eithrio swm i'w roi fel cildwrn i'r cychwr agerfad o'r gwesty i'r orsaf reilffordd. Rhoddasom y cildwrn, a theimlem fod popeth yn iawn – ond nid felly – roeddem wedi anghofio am y dyn gyda pholyn cwch a oedd yn tynnu'r agerfad yn erbyn y cei. Roedd yn amlwg iawn ei fod yn disgwyl cildwrn, a phan welodd ei bod hi'n amlwg nad oedd gennym arian, taflodd ei gap brethyn i'r llawr yn ddig dros ben, a chreodd gymaint o gythrwfl nes ei bod yn rhaid imi frysio i swyddfa gyfnewid agos i gael lire i'w fodloni!

Aethom adref gyda'r *Orient Express*. Roedd yr olygfa yn drawiadol, ond daeth yr hwyr unwaith eto, a diflannodd y golygfeydd yn y gwyll! Roedd y profiad cyfan yn fythgofiadwy!

Aem o dro i dro i'r Swistir hefyd. Fel arfer, arhosem ger Lausanne, lle roedd gwersyllfa neilltuol o dda. Caem dacsi o'r wersyllfa i'r cei, lle roedd stemars rhodlau hen ffasiwn, a oedd yn teithio ar draws Llyn Genefa, ac yn aros ymhob pentref tlws ar arfordir y llyn. Roedd yn bosibl inni gael golygfa wych yn agos at bob un ohonynt.

Aethom unwaith yn y trên i Innsbruck – dinas hyfryd – gyda ffenestri lliwgar y siopau wedi eu haddurno yn chwaethus. Cawsom daith ar sled trwy fforestydd Seewald ac i fyny'r mynyddoedd dros yr eira. Ar gychwyn y daith, cafodd carthenni eu tynnu oddi ar y ceffylau gan y gyrrwr, a'u taflu drosom ni. Wrth gyrraedd pentref bach lle'r arhosom dros chwarter awr, trosglwyddwyd y carthenni yn ôl i'r ceffylau. Wrth ymadael, taflwyd carthenni drosom ni unwaith eto. Wedi i ni ddod yn ôl i'r gwesty yn Innsbruck, roedd aroglau cryf y ceffylau yn dal i lynu wrthym!

Daeth yn amser i ni adael Innsbruck ar y trên, ond fe adawai o blatfform yr ochr draw i'r rheilffordd eang. Roedd yna danffordd, ond roedd yn amhosibl i Jimmy oresgyn y grisiau. Cyn bo hir, daeth porthor gyda throli draw. Llwythwyd y troli â'n bagiau a chyda Jimmy hefyd, a thynnwyd y cyfan gan y porthor ar draws y rheilffordd, a minnau'n gofalu rhag colli rhywbeth yn ystod y daith glonciog!

Ystyriodd Jimmy am hydoedd dichon y byddai mordeithio yn datrys ei anawsterau corfforol. Awgrymodd inni fynd ar y llong deithwyr M.V. *Orient Express* i ymweld â'r Dwyrain Canol. O ran Jimmy, roedd 'awgrym' yr un peth â 'phenderfyniad'. Felly, ym 1987, hedfanasom o Lundain i Fenis i ddal y llong. Roedd yn llong eithaf cul er mwyn iddi allu hwylio ar hyd Camlas Corinth, sy'n gamlas gul ac unionsyth-ochrog, tra oedd arni wyth o fyrddau, gan gynnwys bwrdd is i geir, gan ei bod hi'n gwneud y tro yn lle llong fferi rhwng Fenis, Groeg a Thwrci.

Roedd yn daith ddiddorol iawn, gyda gwibdeithiau o bob porthladd galw. Hwyliasom trwy Camlas Corinth yng ngolau'r lloer, ac ymlaen i Piraeus, lle roedd bws i fynd â ni i gyd i Athen. Arhosodd Jimmy yn y bws, tra dringais i i fyny'r

Acropolis i weld y Parthenon o agos. Roedd y tywydd yn boeth ofnadwy, ac ar ôl hynny, cefais drawiad haul enbyd, ond na pharodd yn hir, diolch am feddyginiaeth a dadflino dros nos.

Aethom ymlaen i Istanbul lle y cawsom olwg ar rai o'r adeiladau enwog, gan gynnwys yr Amgueddfa Topkapi, a'r Mosg Haghia Sophia. Ddiwrnod arall, ymwelsom ag Ephesus yn Nhwrci, i weld yr 'amphitheatre' enfawr lle y pregethodd Sant Paul, ac Ynys Patmos, gyda mynachlog gaerog Sant Ioan. Gwelsom hefyd (ar ôl cryn dipyn o gerdded) yr ogof lle'r ysgrifennodd Sant Ioan y Difinydd Lyfr y Datguddiad. Arhosom unwaith eto yng Ngroeg, yn Katakolon, er mwyn mynd am dro i'r Stadium Olympaidd, safle'r Chwaraeon Olympaidd cyntaf yn 776 C.C..

Drwodd a thro, roedd honno'n daith anodd iawn i Jimmy, ac roedd yn amhosib iddo fynd ar bob gwibdaith. Ond, weithiau, câi ei anawsterau eu bwrw i'r cysgod gan ddiddordeb a nerth ewyllys! Ond nid oedd ein taith adref, hyd yn oed, heb anawsterau. Yn ôl i Fenis, lle roedd rhyw fath o streic yn y maes awyr, ac roedd yn rhaid i bawb aros am ddyfodiad bws, er mwyn mynd i faes awyr arall y tu hwnt i derfynau'r dref. Daeth bws bach, ac unwaith eto, roedd yn rhaid inni, gyda phobl eraill, aros am y bws nesaf. Jimmy a finnau oedd y ddau olaf i fynd ar y bws oherwydd anhawster cerdded a diffyg cymorth, a finnau'n cario ein bagiau i gyd. Wedi inni gyrraedd yr ail faes awyr – a oedd yn fach iawn – roedd yn rhaid inni gerdded dros y maes glanio heb unrhyw gymorth. Roedden ni ill dau wedi ymlâdd pan gwympasom i'n seddi ar yr awyren!

Noswyliasom mewn gwesty yn Gatwick, lle roedd fy nghar bach, a gyrrais adref drannoeth. Bu'r daith yn ddiddorol iawn a dymunol, ond dyna ben ar drefniadau gofalus ymlaen llaw!

Y flwyddyn wedyn, ar ôl imi dreulio pythefnos yn yr ysbyty oherwydd nerf gaeth yn fy nghefn, wedi imi fod yn gwthio Jimmy mewn cadair olwyn o gwmpas troadau strydoedd

Malvern, penderfynwyd mordeithio yn y llong *Queen Elizabeth II* i'r Penrhyn Iberaidd a'r Canolfor Gorllewinol. Gyrasom ym mis Hydref 1988, mewn gwynt mawr, i Southampton, lle y rhoddwyd fy nghar bach i'w gadw mewn garej, ac aethom ar fwrdd y llong.

Parhaodd y gwynt mawr a drannoeth daeth llai o'r teithwyr i gael brecwast! Ymhen hir a hwyr, cyhoeddwyd newydd. Yn ystod noson gyntaf y daith, roedd cynhwyslong fawr wedi bod yn agosáu at y *Q.E.2* ger Cowes, Ynys Wyth. Chwythwyd y ddwy ohonynt ar gyfeiliorn gan y gwynt, ac roeddynt am wrthdaro. Ond roedd gyda'r *Q.E.2* beiriannau newydd sbon, a llwyddwyd i osgoi damwain ddifrifol, diolch i fedrusrwydd y capten, a wrthdrödd y *Q.E.2* – y 66,000 tunell ohoni hi – yn gyflym tu hwnt. Yn ôl y papur newydd, cael a chael oedd hi, ond doedd neb yn gwybod dim am yr hyn oedd wedi digwydd hyd at ddau ddiwrnod yn ddiweddarach.

Roedd y *Q.E.2* yn anhygoel o foethus ac yn gysurus tu hwnt i bob disgwyl. Aethom yn gyntaf i Ibiza. Pam, tybed? Roedd hi'n rhaid inni symud i gwch tendio, achos roedd y *Q.E.2* yn rhy fawr i'r ardal wastad, ddiffaith ac aflêr, lle'r oedd tywod a chamelod, ond a oedd yn amddifad o unrhyw swyn.

Roedd yr ail wibdaith i Cannes, ac roedd yn rhaid mynd yn agos at y tir. Tref dlos a glân ydoedd, ac wrth yfed paned o goffi o flaen tŷ bwyta ar y promenâd, cawsom olwg ar y llong, yn urddasol ac yn enfawr, yn sefyll ar y gorwel yn haul y bore. Aethom i gyd yn y bws i Sant-Paul en Vence, pentref bach lliwgar a hen ffasiwn, a oedd yn lân ac yn ddistaw oherwydd y diffyg traffig yn ei strydoedd serth a chul, gyda'u rhesi o risiau yn y serthaf ohonynt.

Aethom yn y bws i Grasse i ymweld â ffatri bersawr Fragonard. Disgwyliwn weld meysydd o blanhigion a oedd yn cael eu defnyddio yn y ffatri, ond doedd dim sôn amdanynt. Cefais fy siomi pan ddaeth i'r golwg yn y ffatri resi o boteli yn cynnwys esterau oedd yn cymryd arnynt i fod yn aroglau dilys!

Glaniasom ym mhorthladd Barcelona i gael gwibdaith ar fws o gylch y ddinas, lle y gwelsom adeiladau hen a newydd. Codwyd rhai ohonynt fel stadia ar gyfer Chwaraeon Olympaidd 1992.

Aethom ymlaen i borthladd Gibraltar, unwaith eto i gael gwibdaith ar fws. Gwelsom epaod y creigiau, a hefyd glanfa gul ar lan y môr rhwng y tir mawr a'r gorynys. Teimlwn fod Gibraltar yn lle braidd yn ddryslyd, anniddorol, a golwg wedi'i esgeuluso arno.

Ar y llaw arall, roedd Lisbon yn lân, atyniadol a chyfeillgar. Aethom i rywle ar fws lle y cawsom flasu gwin, ac i weld cofgolofn enfawr y 'Darganfyddwyr', ac yna ymlaen o gwmpas y ddinas, lle arhosai'r bws drachefn a thrachefn inni gael cerdded i fwrw golwg ar leoedd diddorol. Teimlwn yn gysurus yn yr awyrgylch gyfeillgar a dadebrais. (Ni fwynhawn yr awyrgylch y tu mewn i'r llong, o ganlyniad i effaith y tymheru awyr.)

Wedi inni lanio yn ôl yn Southampton, roedd fy nghar wrth law, ac yn fuan roeddem ar y ffordd adref mewn tywydd teg.

Ym 1992, daeth awydd dros Jimmy i fordeithio unwaith eto. Dewisodd fordaith ar y *P. & O. Sea Princess* i 'ddinasoedd hanesyddol ac ynysoedd delfrydol'. Yn agos at ddyddiad ein hymadawiad, daeth llythyr oddi wrth *P. & O.* gyda chynnig inni gael mordaith ychwanegol am hanner pris. Roedd Jimmy wrth ei fodd, a gadawsom unwaith eto am Southampton gan edrych ymlaen at ddwy fordaith – yr ail i brifddinasoedd y Baltig.

Ymwelsom yn gyntaf â Sbaen, Moroco, Ynysoedd Canaria a Madeira ac yna'n ôl i Sbaen. Dw i'n cofio'r planhigion trofannol lliwgar, ac, ar Ynysoedd Canaria, y tirffurfiau folcanig a daear ddu i fyny'r bryniau serth a moel, a oedd yn peri penysgafndod imi, gymaint fy ofn rhag i yrrwr y bws fynd yn or-hyderus.

Ond, yn anad dim, cofiaf am Casablanca, dinas lle y gwelir dylanwad Mwraidd, gydag adeiladau castellog a muriau a lloriau mosäig, yn lliwgar a chymhleth. Roedd yr hen adeiladau yn hardd a glân, a'r bobl Forocaidd yn gwrtais dros ben. Pan adawsom y llong yn y bore i fynd ar fws o gylch Casablanca, roedd y môr ar drai, ond wrth inni gyrraedd yn ôl i'r llong, roedd y llanw yn uchel a'r llong uwchben y cei, ac roedd yn rhaid i bobl fynd i fyny esgynfa serth i gyrraedd bwrdd y llong. Roedd yna gadair olwyn drydan i helpu pobl egwan, a daeth llongwr i helpu Jimmy iddi. Eisteddodd yn y gadair, yn wynebu'r cei, ond doedd ei faint ddim yn caniatáu i'r gwregys diogelwch gau amdano. Serch hynny, aeth y llongwr tu ôl i'r gadair, yn barod i gerdded wysg ei gefn, i fyny'r esgynfa. Roeddwn i'n sefyll ar y cei, yn barod i'w ddilyn, ac, fel arfer, yn wyliadwrus. Mewn eiliad, cychwynodd y gadair i fyny'r ysgol ymlusgo – ac ymhen eiliad arall, roedd Jimmy'n cael ei daflu ymlaen trwy'r awyr tua'r cei. Yn reddfol, symudais ymlaen gyda breichiau agored i'w atal, er y byddai'n amhosibl i'w ddal oherwydd ei bwysau, a chwympais ar fy nghefn ar y cei a Jimmy i 'nghanlyn.

Daeth dau Forociad ac ambell longwr i'n helpu ni. Yn ffodus iawn, er bod cleisiau amrywiol arnom, a ninnau'n olew i gyd, ac mewn sioc, wrth gwrs, ni chawsom niwed difrifol. Cafodd Jimmy gymorth gan y dynion i fyny'r esgynfa, lle roedd nyrs y llong yn aros gyda chadair olwyn i fynd â fo i'r ystafell fwyta – a oedd erbyn hyn yn wag – a finnau'n dilyn, a chawsom frandi a phryd o fwyd. Ymwelsom â'r meddyg sawl gwaith wedyn, oherwydd niweidiau mân, gan gynnwys f'ysgwydd gleisiog i a bodiau traed cleisiog Jimmy. Cafodd ein dillad eu golchi am ddim ar y llong. Yn anffodus, fe berodd y ddamwain honno niwed i hunanhyder i Jimmy, a oedd yn amharod i ddod i'r lan am weddill y fordaith. Yn ffodus, roedd *Sea Princess* yn llong gysurus ac arni bobl gyfeillgar, ac roedd yn bosib i Jimmy wylio'r môr ar dywydd teg, neu sgwrsio, neu ddarllen – neu gysgu!

Pan laniodd mwyafrif y teithwyr yn Southampton, arhosom ni ar y llong, er mwyn mynd ymlaen i brifddinasoedd Môr y Baltig. Aethom i Kristiansand (yn Norwy), Visby (yn Gotland, ynys fach yn perthyn i Sweden), Helsinki (yn y Ffindir), Sant Petersburg (yn Rwsia), Stockholm (yn Sweden) a Copenhagen (yn Nenmarc).

Gallaf ddwyn i gof gyda phleser yr hen bentrefi yn Visby, a'r hen dai dan doi tyweirch; a hefyd gofgolofn enfawr wedi ei gwneud o chwe chant o bibellau dur sgleiniog i Sibelius yn Helsinki, lle y cawsom wibdaith ddiddorol iawn ar fws gydag arweinydd rhagorol a oedd yn disgrifio bywyd yn y ddinas yn fanwl inni. Peth arall oedd yr ymweliad â St. Petersburg gyda'r milwyr arfog ym mhobman, ac roedd yn angenrheidiol inni aros gyda'n gilydd i weld y palasau goreuraidd moethus – ond nid y slymiau tlawd yn y strydoedd gefn. Roedd nifer y sianelau dŵr yn Stockholm y tu hwnt i'm disgwyl, ac, wrth gwrs, roedd Copenhagen, fel arfer, yn ddiddorol ac yn lân, yn ddisglair ac yn groesawus.

Roedd newid llanw yn brin ym Môr y Baltig, a gallodd Jimmy fynd ar sawl gwibdaith. Hefyd, fe ddangosid ffilmiau da iawn cyn inni fynd ar wibdaith, fel cyflwyniad i'r lleoedd roeddem ni am ymweld â nhw. Roedd y fordaith honno yn gyfle newydd ac yn hollol werthfawr inni'n dau.

Gydol ei oes, roedd gan Jimmy ddiddordeb mewn ceffylau, ac yn aml iawn fe aem i weld profion gyrru trapiau mewn lleoedd dros Brydain. Fel arfer, parhâi'r profion dros dri diwrnod, a byddai'r rhaglen yn debyg bob tro – yn cynnwys *dressage*, marathon gyda rhwystrau dros feysydd a thrwy ddŵr, a gyrru rhwng conau traffig fesul dau. Aem bob tro yn y garafán-fodur, a gwersyllem ar faesydd y sioeau trwy'r profion i gyd. Roedd cyfeillgarwch rhwng y cystadleuwyr a deuai rhai ohonynt i'n carafán yn aml iawn i sgwrsio efo Jimmy, tra byddwn innau'n gweini coffi iddynt!

Aem hefyd, o dro i dro, i rasys ceffylau ym Mangor Is-y-coed, Llwydlo, Cas-gwent a hyd yn oed yn Newbury. Roedd gen i lai o ddiddordeb mewn rasys, ond rhoddai digwyddiadau o'r fath gyfle imi fod allan yn yr awyr iach.

O ran Jimmy, gwaethygai ei iechyd dros y blynyddoedd, a chwtogwyd ar ei gynlluniau, a'u rhwystro'n llwyr ambell waith. Yn aml iawn, byddai'n rhaid imi fynd â fo i ymweld ag un o'r meddygon ymgynghorol eraill a oedd yn cadw llygad ar agweddau amrywiol ar ei iechyd. Bu'n rhaid iddo fynd i adran ofal arbennig yr ysbyty leol ddwywaith o ganlyniad i aflwydd ar ei galon.

Ym 1993, ymwelasom â rasys ceffylau yn Newbury. Wrth imi fynd i barcio'r garafán, cafodd Jimmy baned o goffi, a chafodd sgwrs â gŵr bonheddig a elwid yn 'Gadfridog'. Gofynnodd Jimmy ar ba gatrawd roedd o'n 'Gadfridog'. "Y K.S.L.I. yn Amwythig," meddai, "ond dw i wedi ymddeol rŵan." Atebodd Jimmy: "Mae cae chwarae y K.S.L.I. yn ffinio â'n gardd ni – rydym yn rhannu ffens!" Wrth i'r Cadfridog baratoi i fynd i rywle arall, dywedodd wrth Jimmy: "Os oes arnoch eisiau rhywbeth yma, gofynnwch imi." "Wel," dywedodd Jimmy, "dw i'n edmygwr mawr o Jenny Pitman a'i cheffylau, a byddwn i wrth fy modd petawn i'n cael siarad efo hi, ond alla i ddim mynd ati hi." "Gadewch imi eich helpu. Arhoswch funud!" meddai, a diflannodd. Yn fuan wedyn, daeth Jenny atom. Siaradodd gyda Jimmy am funud, a darganfu bod ein gwersyll ni nid nepell o'i stablau. "Dewch i wersylla yn y garafán ger fy stablau nos Iau, ac fe awn ni i gyd dros y *gallops* am chwech fore drannoeth, ac wedyn fe gawn ni frecwast i gyd gartref!"

Roedd Jimmy wrth ei fodd, a gyrrodd i Lambourn erbyn yr amser a drefnwyd. Cawsom yrru gyda Jenny a'i chynorthwywr mewn 'Shogun' ar draws y *gallops* dros bant a bryn, a gwylio'r ceffylau o agos yn awyr iach y bore. Wedyn, cawsom frecwast yn y gegin fawr lân. Ar ôl brecwast, aethom gyda Jenny i weld pob ceffyl, yn lân yn ei stabl fel pin mewn papur, ac adroddodd hithau hanes pob un ohonynt.

Gadawsom tua hanner dydd a theithio i gyfeiriad Blenheim, lle y bwriadai Jimmy aros dros nos er mwyn imi gael mynd drannoeth i weld Palas Blenheim. Roeddwn i'n dechrau paratoi pryd o fwyd pan ddywedodd Jimmy: "Fedrwn ni ddim aros yma – dw i'n teimlo yn wael iawn a bydd yn rhaid inni fynd adref ar unwaith!" Roeddwn i'n gyfarwydd â sefyllfaoedd o'r fath. Gosodais bopeth yn ei le a pharatoais y garafán yn barod i gychwyn, ond mynnodd Jimmy yrru ei hun. Erbyn inni gyrraedd adref, fe deimlai Jimmy'n waelach, a fin nos, cafodd ei frysio i adran gofal arbennig yr ysbyty. Ar ôl ychydig ddyddiau, daeth yn ôl gartref heb unrhyw sôn am farn feddygol ynglŷn â'r broblem.

Weithiau, fe ddeuai Bill Ingley a'i wraig i ymweld â ni. Roedd Jimmy yn hoff ohonynt gan fod Bill yn bianydd medrus, a chanddo'r gallu i gyfansoddi cytgordiau diddorol byrfyfyr. Erbyn hyn, roedd Bill wedi symud i fyw i Tewkesbury – bron drws nesaf i'r abaty y byddai ef a'i wraig yn ei fynychu'n gyson, ac weithiau yn canu'r organ yno.

Teimlai Jimmy fod angen iddo ymweld â meddyg ymgynghorol, a mynnodd fy mod yn mynd gyda fo fel y gallwn ei holi am bethau a oedd yn fy mhoeni innau. Roeddwn yn ei adnabod eisoes, a gallwn ofyn heb ymatal. Yn fuan yn ystod y cyfweliad, daethai'n amlwg imi nad oeddent yn bwriadu gwneud dim ond sgwrsio gyda'i gilydd, heb sôn digon am iechyd Jimmy. Gan hynny, torrais ar draws eu sgwrs, a dywedais fy mod i'n poeni'n fawr am y sefyllfa, a gofynnais beth yn union oedd yn digwydd, yn unol â chofnodion ei hanes meddygol. Cododd y meddyg y cofnodion allan o'i gwpwrdd ffeilio ac edrychodd yn ofalus arnynt. Ar ôl ychydig funudau, dywedodd mai gordyndra oedd y bygythiad mwyaf, a'i fod eisoes wedi cael tri thrawiad bach ar y galon. Medrai gael trawiad mawr ar unrhyw adeg.

Syfrdanwyd Jimmy gan y newydd, ac roedd yn ddig gan nad oedd neb wedi dweud wrtho am y trawiadau yr oedd eisoes wedi eu cael. Wrth gymharu dyddiadau, darganfu mai yn union ar ôl ein hymweliad â Lambourn y cafodd y trawiad diweddaraf. Ymadawsom â'r meddyg ymgynghorol heb ddweud llawer. Dywedodd Jimmy wrtha i am fynd ag ef yn syth at Mr Rogers, y trefnydd angladdau, er mwyn iddo gael trefnu manylion ei angladd. Aethom ar draws y dref i swyddfa Mr Rogers, a chawsom sgwrs ag ef. (Gwyddai am Jimmy, fel meddyg.) Aethom adref, a dywedodd Jimmy wrtha i am ffonio Bill, a gofyn iddo ddod draw i drefnu'r gerddoriaeth ar gyfer yr angladd.

Drannoeth, daeth Bill a Mary draw, a chytunodd Bill i ganu'r organ yn yr angladd. Canodd gyfeiliant 'Brother James's Air' ar fy mhiano, gan ddefnyddio cordiau amrywiol ar gais Jimmy, nes yr oeddent at ei ddant. Erbyn diwedd y dydd, roedd Jimmy wrth ei fodd, a dywedodd wrthym na allai neb fod wedi mwynhau trefnu ei angladd ei hun yn fwy nag o. Ar ôl diwrnod llwyddiannus, gadawodd Bill a Mary am eu cartref yn Tewkesbury.

Yn ystod y flwyddyn ddilynol, aeth iechyd Jimmy o ddrwg i waeth, ac roedd yn ddifrifol o fyr ei wynt. Cofiaf yn glir y chweched o Fedi 1995. Daeth barbwr at Jimmy yn y bore, ac yna fe roddais fáth iddo. Roedd yn brin o egni, ac eisteddodd yn ei gadair weddill y diwrnod, yn ei ŵn llofft. Daeth ei wraig draw yn y prynhawn, a chawsom sgwrs hapus gyda'n gilydd. Wedyn, aeth ei wraig adref, a dywedodd Jimmy fod angen pryd o fwyd arno. Wrth imi droi tua'r gegin, rhodd Jimmy ochenaid a bu farw ar unwaith.

Yr oedd pob manylyn ynglŷn â'r angladd yn union fel yr oedd Jimmy wedi dymuno iddo fod.

Ymhen pum mis, bu farw Bill yn yr un modd yn union. Euthum i'w angladd yn Abaty Tewkesbury. Roedd tri gweinidog yn cymryd rhan yn y gwasanaeth, ac un ohonynt yn ŵyr i'r diweddar Syr Idris Bell, ac nid oeddwn wedi ei weld ers inni gael brecwast gyda'n gilydd ym 'Mro Gynin', Aberystwyth, ryw ddiwrnod ym 1956 pan nad oedd o'n ddim ond wyth mlwydd oed. Ar ôl y gwasanaeth, croesawodd fi, gyda breichiau agored, a chawsom sgwrs, a minnau wedi fy ngorchuddio mewn cymylau o wenwisg!

Alice Jones, Ceredigion, Aberystwyth, gyda Lucy Vincent, tiwtor obo yr awdur, ger Llyn Syfydrin, Pumlumon (1957)

Carl Orff, yn ei gartref ger Munich – ar ei ben-blwydd yn 80 (1975)

Clychau rhew ar yr A44 ym Mhumlumon, 1963

Cofgolofn i Jean Sibelius (1875–1957) yn Helsinki

Pennod 13

Glanio a gwreiddo

Yn y cyfnod hwnnw y daeth ysfa drosof i dorri oddi wrth gyfyngiadau'r blynyddoedd diwethaf, a rhoi sylw i'm blaenoriaethau ar gyfer y dyfodol. Penderfynais, yn gyntaf, ganolbwyntio ar fy mynglo. Roedd angen gwneud lle agored y tu allan, a'r tu mewn roedd angen glanhau'n drylwyr, a chreu mwy o le a golau.

Hoffai Jimmy ei breifatrwydd, ac roedd rhes o bren cyprys y tu allan, a wnâi'r lolfa'n dywyll, ynghyd â'r llenni trwm. Yn ogystal â hynny, roedd Jimmy wastad yn ysmygu'n drwm, a thros y blynyddoedd fe drödd y muriau, y nenfydau a'r dodrefn yn fwyfwy llwyd a seimllyd trwy'r bynglo cyfan – a'r garafán hefyd.

Pan fyddem yn aros yn rhywle yn y garafán, byddai'n rhaid imi gau'r drws a'r ffenestri (hyd yn oed yn ystod tywydd poeth) rhag ofn i bryfed ddod i mewn, oherwydd adwaith Jimmy i bigiadau a'r sioc goradweithiol a fyddai'n rhwym o ddilyn. Yn yr heulwen ddisglair, byddai'n rhaid cau hefyd y llenni llwyd, gan fod ei lygaid yn gallu cael eu heffeithio gan yr haul.

Safai'r garafán yn y garej, a fy nghar bach o dan orchudd uchel wedi ei wneud o ganfas trwm, a gynhelid gan fwâu o fetel, fel bonet pram, o flaen ffenestr y lolfa, gan gryfhau'r cysgod. Y peth cyntaf a wnes i felly oedd gwerthu'r garafán er mwyn imi allu cadw'r car bach yn y garej, a rhoddais y gorchudd i ffrind.

Wedyn, fe drefnais i gael ailaddurno'r bynglo cyfan y tu mewn, gan y byddai'n amhosibl glanhau'r ôl mwg oddi ar y muriau a nenfydau. Cafodd y llenni trwm eu golchi a'u rhoi i gadw, a rhoddais len stribed yn eu lle. Wedyn, yn ystod y gaeaf, daeth gwynt mawr a chwythodd ran o ffens yr ardd i ffwrdd. Felly fe ddechreuais adnewyddu y palisau coed o amgylch yr ardd, a thra oeddwn wrthi, trefnais i gael tynnu'r hen lwyni mawr o'u gwraidd ar hyd blaen y bynglo. Daeth golau, awyr iach a digon o le o'r diwedd!

Yn ystod 1996, gyda chymorth fy ffrindiau, cefais wared â'r lawnt, a oedd eisoes wedi ei dinistrio fwy neu lai gan fy nghi. Gyda golwg ar y dyfodol a'm henaint a'r angen i hwyluso gwaith tŷ a gardd, trefnais ffeirio'r lawnt am balmant a llwybrau. Cyrhaeddais ben y dalar, a phan oedd popeth yn ei le, penderfynais dderbyn gwahoddiad i fynd i Ganada er mwyn aros gyda chyfeilles yn Bolton, Ontario, am rai wythnosau. Euthum yn ystod mis Hydref 1996 pan oedd lliwiau'r coed ar eu gorau.

Roedd bynglo fy nghyfeilles, Vaire, ar ochr bryn rhyw dri deg milltir i'r gogledd o Toronto. Roedd yn adeilad mawr, wedi ei wneud o bren cedrwydd, yn sefyll mewn deg erw o laswelltir. Ugain mlynedd cyn imi ymweld â'r bynglo, a elwid yn *Wolfe Den*, plannodd Vaire a'i diweddar ŵr bum mil o goed, ac erbyn i mi fynd i ymweld â hi, roedd y goedwig yn aeddfed, ac yn lle delfrydol ar gyfer cerdded gyda chŵn. Roedd Vaire yn fridwraig cŵn *papillon,* a'r pryd hwnnw roedd chwech ohonynt yn byw yn y bynglo a saith arall yn y cytiau cŵn moethus y tu allan.

Daw eira trwm yn gynnar iddynt bob blwyddyn ac erys hyd fis Ebrill. Weithiau, bydd yn rhaid i Vaire alw am aradr eira i agor ei rhodfa er mwyn iddi allu gadael ei bynglo a chyrraedd y ffordd, ac fe gostia hynny'n ddrud iddi.

Roedd Vaire yn groesawraig ac yn gogydd rhagorol, ac roeddwn i'n gysurus iawn yn y *Wolfe Den*. Cysgwn yn un o'r ddau fflat o dan y bynglo, gyda golygfa dros y glaswellt islaw'r bryn. Er ei bod yn anodd i Vaire adael y cŵn am gyfnodau hir yn ystod y dydd, yr oedd wedi trefnu i'w merch, Rosalind, fynd â mi i'w chartref dros y Sul, er mwyn imi gael ymweld â Niagara. Gofynnodd i'w ffrind, Lucy, drws nesaf (hanner milltir i ffwrdd!), fynd â mi am daith yn ei char i Elora – pentref unigryw gryn bellter o Bolton.

Daeth Rosalind, ac aethom i'w chartref yn Grimsby, nid nepell o Niagara. Y diwrnod wedyn, euthum ar daith bws at raeadr Niagara, a hynny'n cynnwys mordaith ar fwrdd y llong *Maid of the Mist* er mwyn edrych ar y llifeiriant oddi tanodd. Ar ôl y daith a diwrnod diddorol dros ben, cwrddais â Rosalind, ac aethom i Grimsby.

Gyda'r hwyr, cefais fy nghyflwyno gan Rosalind i *Reiki*, a hithau'n hyfforddwr proffesiynol. Hefyd, fe ddangosodd imi ychydig o *Tai Chi* wrth iddi ei ymarfer. Drannoeth, aethom i siopa yn Grimsby, ac yna aethom yn ôl i Bolton.

Roedd y daith nesaf gyda Lucy i Elora, lle roedd rhaeadr fawr ac ysblennydd gerllaw yr Hen Felin, sydd bellach yn fwyty, lle y cawsom bryd ardderchog o fwyd wrth wrando ar gerddoriaeth gan Purcell, J. S. Bach a Beethoven! Cerddasom trwy siopau i edrych ar y nwyddau a arddangosid yn gelfydd – ond roedd popeth yn ddrud tu hwnt! Roedd yn daith ddiddorol iawn, ac roedd Lucy yn gydymaith delfrydol, yn llawn gwybodaeth a dim yn tarfu arni.

Yn fuan wedyn, daeth yn amser imi fynd adref. Cefais wyliau rhagorol, a gwnaeth Vaire a Rosalind a Lucy eu gorau glas i ddangos imi olygfeydd eithriadol nas gwelais erioed mo'u tebyg. Dywedodd Vaire y dylwn i ddod unwaith eto, ac ymweld yn gyntaf â gorllewin Canada, lle y mae mynyddoedd a lleoedd ysblennydd eang, ac yna ymweld â hi ar fy ffordd adref, gan y byddai'r gorllewin yn fwy trawiadol na Ontario. Ond fues i fyth dramor wedyn. Roedd fy ffrindiau ffyddlon, Michael a Gloria, yn aros amdanaf ym maes awyr Manceinion, ac ar ôl paned o de, aethom adref, lle, diolch iddyn nhw, roedd popeth yn lân fel pin mewn papur.

Cyn imi fynd i Ganada, trefnaswn gyda f'ymgynghorwr imi gael triniaeth lawfeddygol er mwyn iddo godi pilennau oddi ar fy llygaid ym mis Tachwedd. Trefnwyd bod y llawdriniaeth i gynnwys y ddau lygad fel nad oedd yn rhaid i mi ddioddef mwy nag un cyfnod heb allu gyrru. Yn gyntaf, euthum i siopa am bethau hanfodol, gan baratoi ar gyfer y cyfnod pan na fyddwn yn gallu gyrru. Ar ôl y llawdriniaeth, daeth cyfnod tawel gartref. Pan ddaeth y Nadolig, daeth fy nghyfeilles, Mary Halstead, draw er mwyn mynd â fi i Westy Castell Rowton i gael cinio Nadolig gyda'n gilydd.

Daeth Dydd Calan a phenderfynais fy mod yn barod i ailafael yn y gyrru. Roedd yn rhaid imi ailymweld â'r llawfeddyg o dro i dro er mwyn iddo gael gwared â'r pwythau – cefais saith ymhob llygad – ond, yn y pen draw, daeth popeth yn iawn, ac roeddwn i'n gweld yn well na chynt. Dilynodd cyfnod o deithiau!

Ers tipyn, roedd Mary Halstead yn byw mewn cartref henoed. Roedd hi'n wastad yn hoff o yrru ceir cyflym a mynd am deithiau hir. Bellach, er ei bod yn dal i yrru ar deithiau byr, nid oedd ganddi awydd gyrru ymhell. Gan hynny, derbyniodd wahoddiad i ddod gyda mi, ym mis Mawrth 1997, i Callandar yn yr Alban. Arosasom yng ngwesty y 'Roman Camp Country House' ar ymyl Afon Teith. Aem o gwmpas yr ardal bob dydd, ac ymwelasom â Loch Tay, Rhaeadr Dochart ger Killin, Aberfoyle a Loch Katrine. Roedd y tywydd yn braf, a chawsom wyliau ardderchog.

Ym mis Ebrill, euthom ar daith unwaith eto, i ymweld â hen ffrindiau inni, Margaret a Lucy – y ddwy ohonynt bellach yn anabl – yn Beaminster, Dorset, lle y cawsom wyliau byr a dymunol, gan gynnwys teithiau car gyda'n gilydd o gwmpas y sir. Ymwelasom â Weymouth er mwyn inni gael clywed arogl y môr. Roedd Lucy yn dywysydd deallus iawn yn 'Parnham House', hen blasty lle roedd ychydig o bobl yn astudio sut i atgynhyrchu dodrefn hynafol. Roedd hi'n hapus iawn wrth ddangos ac adrodd pob manylyn gyda brwdfrydedd.

Ym mis Mehefin, euthum ar fy mhen fy hun i ymweld â hen ffrind, a oedd bellach yn anabl, yn Baildon, Swydd Efrog, ac yna at ffrindiau eraill, Alan a Marie, yn Burnley, Swydd Gaerhirfryn. Roedd Alan yn hoff iawn o yrru, ac aethom i gyd i Ardal y Llynnoedd. Ymwelasom hefyd â rhai pentrefi, sef Dent a Sedgwick, lle roedd hen adeiladau gwenithfaen.

Ym mis Gorffennaf, fe'm synnwyd pan glywais gan ffrind fod fy chwaer iau, Mary, wedi marw yr wythnos cynt. Roedd hi'n dal i fyw gyda Doris, wedi'r holl flynyddoedd, ac roeddwn i'n dal i fod yn ymwelydd di-groeso, rhag ofn imi aflonyddu ar Mary. Dywedasai Doris wrthyf flynyddoedd ynghynt nad oeddwn yn angenrheidiol iddynt, a mynnodd fy mod yn gadael llonydd iddyn nhw. Euthum i ymweld â'r Cofrestrydd a darganfûm fod Mary wedi cwympo a thorri ei morddwyd, a bod niwmonia wedi dilyn hynny. Ni chlywais air gan Doris.

Darganfûm ddyddiad yr angladd, a gofynnodd Mary Halstead a gawsai ddod gyda fi. Roedd ein ffrind, Mr Rogers (y trefnydd angladdau), yn ymwybodol o'r sefyllfa gan fod Doris wedi tyngu anudon wrth ddweud wrtho nad oedd gan Mary unrhyw berthynas agos arall. Dywedodd Mr Rogers ei bod yn bosib atal yr angladd, ond ni welwn bod unrhyw fantais imi wneud hynny. Derbyniodd y ddwy ohonom i'r angladd, gan ein gwarchod rhag gorfod wynebu Doris a Bob, ei ffrind.

O ran Mary fy chwaer, bu ei holl fywyd o ddeng mlynedd a thrigain yn helbulus oherwydd ei hafiechyd corfforol a meddyliol. Roedd y sefyllfa'n gwaethygu gan nad oedd pobl yn deall afiechyd meddyliol – yn enwedig fy nhad, a goleddai uchelgais afresymol ynglŷn â Mary. Yn ddiarwybod iddi, fe fu'n destun pryder, anghytundeb ac ymraniad difrifol yn y teulu, gyda fy nhad a Doris ar un ochr a fy mam a minnau ar y llall. Roedd llai o wir lawenydd yn y teulu o ddechrau bywyd Mary hyd y diwedd.

Toc wedi hynny, awgrymodd Mary Halstead inni fynd i Sandbach, Swydd Gaerleon, dros y Sul ac aros mewn hen westy o'r enw y 'Chimney House'. Yn fuan wedyn, aethom ar daith unwaith eto i'r Alban, i Ballachulish, ym mis Medi. Aethom trwy Fwlch Glencoe yn ystod tywydd garw, ond yna fe gododd yn well a gallasom yrru ar hyd a lled yn yr ardal. Mynnodd Mary fy mod yn mynd i fyny'r mynydd Aonach Mor, ger Ben Nevis, mewn 'gondola', tra arhosodd hi yn fy nghar yn darllen. Euthum i'r tŷ bwyta 'The Snowgoose Restaurant' ar y copa i gael paned o de a mwynhau golygfa eang ysblennydd ar draws copäon mynyddoedd a llynnoedd. Cawsom unwaith eto wyliau byr ond bythgofiadwy.

Treuliais amser yn ystod y gaeaf yn edrych ar gasgliad o hen ddogfennau a ffotograffau ynglŷn a'r teulu. Fi oedd yr unig un bellach a oedd â diddordeb yn hanes y teulu, a phenderfynais ysgrifennu amdano yn hytrach na cholli hanes fy hynafiaid. Dechreuais ysgrifennu ym mis Ionawr 1998, a chwblheais fy hunangofiant cyn diwedd mis Mawrth. Ym mis Ebrill, roedd yn rhaid imi gael triniaeth laser ar fy llygaid er mwyn gwneud tyllau bychain iawn trwy'r pilen oedd yn tyfu dros y toriadau yn fy llygaid. Cyn diwedd y flwyddyn, bu farw'r llawfeddyg.

Cafodd fy hunangofiant *Unto the Hills* ei gyhoeddi gan Brewin Books, Studley, Swydd Warwick, ym mis Medi 1998. Bu'r marchnata yn effeithiol iawn, a chafwyd gwerthiant cyflym cyn diwedd y flwyddyn. Dechreuodd adolygiadau ffafriol ymddangos cyn bo hir.

Erbyn hyn, roedd popeth yn ei le, a theimlwn fod arna i angen mynd i rywle ar fy mhen fy hun i ddadebru. Darllenaswn *George MacLeod* gan Ronald Ferguson, llyfr a gefais gan fy hen gyfaill Charles Cleall, cerddor profiadol, awdur, a lluniwr y rhagymadrodd a'r mynegai ar gyfer *Unto the Hills*. Anfonodd Charles y llyfr hwn fel anrheg, am ei fod yn awyddus i ddathlu'r ffaith inni gydweithio cystal. A minnau newydd fod yn darllen am Iona, felly, roeddwn yn teimlo fy hun yn cael fy nenu i'r ynys, i gael profi ei hawyrgylch hynod. Cychwynnais ar fy nhaith yn fy nghar cyn diwedd mis Medi. Arhosais yn Fionnphort, Mull, ac awn ar y llong fferi bob dydd dros y lli i Iona, lle y cerddwn hwnt ac yma i chwilio pob ffordd a phob hen adeilad hanesyddol ac ysbrydol. Roedd Iona yn lle unigryw, ac yn hollol heddychlon a bendigedig.

Yn ystod fy nhaith, arhosais unwaith i brynu darn o'r gwenithfaen coch lleol, wedi ei ysgythru gyda llun yr Ŵydd Wyllt, sumbol yr Ysbryd Glân mewn celfyddyd Geltaidd. Cefais sgwrs hir a diddorol gyda'r crefftwr a'i chwaer, a oedd yn ymweld ag ef o Birmingham, gan mai gŵr gweddw oedd ei brawd, yn byw ar ei ben ei hun. Roeddent yn adnabod llawer o bobl gerddorol yn Birmingham gan i'w tad fod yn organydd yn eglwys Sant Martin. Ar ôl paned o de yn y gegin, gofynnodd Bob i mi ei briodi. Gadewais toc wedi hynny, gan barhau gyda fy nhaith – gyda'r ŵydd wyllt yn fy mhoced ond heb ŵr!

Dychwelais adref i wynebu llawer o lythyrau ynglŷn ag *Unto the Hills* – rhai ohonynt gan hen gyfeillion ers fy nyddiau yn yr ysgol uwchradd yn Stourbridge yn y tridegau a minnau wedi colli cysylltiad â nhw. Erbyn hyn, rydym yn dal mewn cysylltiad â'n gilydd.

Cynhaliwyd ail aduniad staff Coleg Addysg Wolverhampton yng ngwanwyn 1999, a daeth *Unto the Hills* i sylw'r diweddar Ron Durham, cyn-brifathro'r coleg. Roedd gan Ron ddiddordeb mawr ynddo, ac felly addewais anfon copi ato. Hyd yma, doedden ni ddim yn ymwybodol o hoffter dwfn y ddau ohonom o Gymru.

Toc wedi hynny, daeth Ron i Amwythig i ymweld â mi, a

threuliasom ddiwrnod hapus iawn yn trafod pethau a ddigwyddodd ers iddo adael y coleg ym 1972 a minnau ym 1978. Trist oedd clywed i Cynthia, ei wraig, farw ym 1993, ar ôl iddi lewygu yn yr ardd gartref. Prynasent fwthyn wrth odre'r Wyddfa ryw ddeugain mlynedd ynghynt, a buont yn treulio braidd pob penwythnos a gwyliau yno byth er hynny, yn gwella'r bwthyn bob yn dipyn, yn ogystal â dringo'r mynyddoedd yn yr ardal.

Cefais wahoddiad i ymweld â Ron yn ei gartref yn Penn, Wolverhampton, ac yn ystod yr ymweliad, trefnwyd y byddwn yn ymweld â fo yn y bwthyn, 'Bryn Ffynnon', y mis Medi wedyn. Yn ôl ei gyfarwyddyd, dilynais lonydd cul tu hwnt i Lanrug hyd at y bwthyn anghysbell. Roedd y tŷ ar ochr y bryn, gyda golygfa ryfeddol dros odre'r Wyddfa tua Chaernarfon, a thros y Fenai i Niwbwrch ac Ynys Llanddwyn.

Yn ystod f'ymweliad, aethom bob dydd ar daith, i fyny'r bryn y tu ôl i'r bwthyn, yn y car i Gaernarfon, i Chwarel Dinorwig, trwy Rosgadfan lle y gwelsom olygfan er cof am Kate Roberts, i Fwlch-y-Groes lle y gallem edrych dros Lanberis i'r dwyrain. Aethom hefyd i Ryd-ddu lle y daeth atgof am T H Parry-Williams. Daeth y glaw a ninnau'n barod i ddringo'r Wyddfa, a byddai wedi bod yn ormod imi ddringo yr holl ffordd i fyny'r mynydd beth bynnag. Serch hynny, aethom yn uwch, ac yn y pen draw, ar ôl paned o goffi yn y glaw, dychwelsom i'r car ym maes parcio Rhyd-ddu. Daeth yr haul yn ôl, ac yn yr hwyr, safasom yn y cyntedd o flaen 'Bryn Ffynnon' yn yfed cwrw cartref ac yn gwylio'r golau a'r lliwiau cyfnewidiol ". . . cyn elo'r haul i'w orwel. . ."

Ymwelais droeon â 'Bryn Ffynnon' gyda Ron ac weithiau roedd ei ferch a'i gŵr o Abertawe yno hefyd, neu ei fab a'i wraig o'r Alban, a byddem bob amser yn hapus iawn gyda'n gilydd. Aethom unwaith i Ben Llŷn, lle y cerddasom o gwmpas Porth Dinllaen, a thrannoeth o gwmpas Ynys Lawd ym Môn.

Roedd diddordebau cyffredin rhyngom, yn enwedig ynglŷn â geiriau. Ar ôl iddo adael Coleg yr Iesu, Rhydychen, roedd Ron wedi bod yn gyfrifol am hyfforddi athrawon Affricanaidd yn Swdan i addysgu Saesneg fel ail iaith. Hefyd, roedd o'n hoff o ddatrys croeseiriau a osodwyd gan 'Araucaria' yn y *Guardian*.

Pan oedd Ron yn fyfyriwr yn 'Christ's Hospital' ac yna yng Ngoleg yr Iesu, Rhydychen, daethai dan ddylanwad sawl ysgolhaig o Gymro. Felly, roedd ganddo ddiddordeb pan ddangosais *Cydymaith i Lenyddiaeth Cymru* (Meic Stephens) iddo yn ystod un o'i ymweliadau â mi yn Amwythig, oherwydd y wybodaeth a oedd ynddo ynglŷn â Hugh Price (?1495 – 1574), sefydlydd Coleg yr Iesu ym 1571. Er mai'r Frenhines Elizabeth I a enwyd fel y sefydlydd yn y Siartr Sefydlu, Hugh Price (neu Aprice) oedd y gwir sefydlydd gan mai fo gyfrannodd yr holl arian. Roedd Ron yn gyfarwydd ag enwau fel John David Rhys (1561-1637) a Dr John Davies (?1570-1644), ac, yn ddiweddarach, T H Parry-Williams, ac roedd o dan gyfaredd wrth ddarllen amdanynt yn fy llyfrau. Roedd Ron am fynd â mi i Goleg yr Iesu er mwyn dangos pob manylyn imi, y tu mewn i'r Coleg yn ogystal â thu allan, ond yn anffodus, ni allasom erioed fynd yno.

Ym mis Awst 2001, ymwelodd Ron â mi yn Amwythig, a thorri newydd trist iawn imi. Cawsai farn feddygol; roedd canser y prostad arno. Cadarnhawyd y farn ym mis Hydref. Cafodd driniaeth, a pharhaem i ymweld â 'Bryn Ffynnon' o dro i dro, ond yn fwyfwy aml roedd yn rhaid imi yrru yn ei le. Parhaem i fynd am dro yng Ngogledd Cymru – i Goed Beddgelert, enghraifft, ac i Borth Dinllaen ac Aberdaron – ac, yn nes at gartref, i fryniau de Swydd Amwythig, ac o amgylch Penn a Himley, ond deuai Ron yn ymwybodol fod ei egni corfforol yn lleihau o dipyn i beth.

Ym mis Rhagfyr 2001, aethom i ddathlu fy mhen-blwydd

yn wyth deg dau yng ngwesty 'The Mermaid' yn Wightwick ger Wolverhampton. Ym mis Ionawr 2002, cefais wahoddiad i fynd i'w gartref yn Penn er mwyn dathlu ei ben-blwydd yntau yn wyth deg gyda'r teulu cyfan a rhai ffrindiau. Roedd popeth wedi ei baratoi gan ei ferch a'i ferch-yng-nghyfraith, ac ymddangosai pawb yn hapus ar y wyneb, er eu bod yn ymwybodol o'i afiechyd.

Ychydig ddyddiau'n ddiweddarach, euthum i'r cartref henoed i ddathlu pen-blwydd fy nghyfeilles, Mary Halstead, yn naw deg, ynghyd â llawer o'i ffrindiau. Roedd cymaint o henoed yno – a minnau'n un ohonynt, serch nad oeddwn yn teimlo felly!

O ran Ron, dilynodd nifer o gyfnodau mewn ysbyty am fisoedd, ond roedd o'n benderfynol o fynd unwaith eto i 'Fryn Ffynnon'. Aethom yno ym mis Awst 2003, serch ei fod yn wael ac mewn gwendid. Roedd effaith ei ddioddef yn fwy poenus wrth inni sylweddoli nad oedd disgwyl na gobaith iachâd.

Bu farw Ron ar yr unfed ar ddeg ar hugain o fis Hydref 2003 – diwrnod trist iawn. Daeth i ben gyfnod hir, a theimlais golled drom ar ôl hen gyfaill cywir, a oedd wastad yn frwdfrydig dros rannu gyda mi ei brofiadau, ac i roi anogaeth imi ym mhob menter dros bedwar deg o flynyddoedd. Ym mis Tachwedd, cynhaliwyd cyfarfod i'r teulu a nifer o ffrindiau yn Penn. Nid oedd yr achlysur yn drist; roedd yn gyfle i ddiolch am y pethau da yn ei fywyd. Siaradodd Ken, mab-yng-nghyfraith Ron, yn llawn edmygedd a chariad, a chyda hyd yn oed tipyn o ddigrifwch priodol – teyrnged chwaethus a hollol addas. O'm rhan i, roedd yn ddiwedd cyfnod hapus iawn, a minnau'n ymwybodol o'r hadau a heuwyd ganddo ef a fyddai'n datblygu i'r dyfodol, gan greu bywyd newydd.

Ronald H. Durham, Prifathro coleg Addysg Oedolion Wolverhampton (rhan o Brifysgol Birmingham) yn ail aduniad Staff y Coleg (1999)

Yr awdur yn canu recorder, gyda'r cyfeilydd William Stevens Ingley, Pennaeth yr Adran Gerddoriaeth, Coleg Addysg Oedolion, Wolverhampton (c. 1970)

Yr awdur yn canu'r obo yn y coleg yn Wolverhampton

Ar y ffordd i Fryn Ffynnon, Ceunant, ger Bwlch Llanberis (mis Ebrill, 2002)

Hen Gapel John Hughes, Pontrobert, Maldwyn

Nia Rhosier, Ceidwad Hen Gapel John Hughes, Pontrobert, Maldwyn

Hilda Hunter yn yr Ardd Heddwch tu cefn i Hen Gapel John Hughes (2004)

Ar adain cân

"Rho'r llyfr 'na i lawr, da ti, a gwna rhywbeth gwerth ei wneud!" Pa mor aml y clywais hyn pan oeddwn i'n ifanc, a fy mam dan bwysau gwaith tŷ! Petawn i ond yn gallu cael llonydd i ddarllen ac astudio! Ond, wastad, byddai fy mam wir angen help, boed gyda'r gwaith tŷ, neu i ofalu am fy chwaer Mary, neu i goginio pryd o fwyd, ddwywaith y dydd, yn brydlon ar gyfer dychweliad fy nhad o'i waith fel peiriannydd yn y ffatri. Roedd wastad llai o heddwch yn y gegin fach. Roedd ystafelloedd eraill y tŷ yn oer iawn – yn rhy oer i astudio ynddynt – gan nad oedd dim ond tannau glo yn y cyfnod hwn (y dauddegau), a llai o arian i'w losgi gennym ninnau.

Serch hynny, fe wneuthum fy ngorau, gyda chanlyniadau rhesymol, ond teimlwn o hyd y gallwn fod wedi gwneud yn well (fel y dywedai f'athrawon yn yr ysgol!) pe byddai'r amgylchiadau wedi bod yn fwy ffafriol. Hyd yn oed ar ôl imi adael yr ysgol a dechrau gweithio, doedd gen i ddim digon o amser rhydd gan fod popeth gartref yn ormod i fy mam a bod wastad angen imi gyfrannu at incwm y teulu – hyd yn oed yn ystod fy nghyfnod fel myfyrwraig yn y brifysgol.

A felly y bu, hyd nes i mi ymddeol ac o hynny ymlaen tan ddiwedd y ganrif – dim digon o amser.

Unwaith, yn hydref 1999, a ninnau ym 'Mryn Ffynnon', dangosodd Ron ddarn o bapur imi lle yr oedd wedi copïo'r arysgrif oddi ar gofgolofn Robert Parry, Ceunant, ym mynwent Llanrug. Allwn i ei chyfieithu iddo? Wedi'r cwbl, roeddwn i wedi bod yn byw yng Nghymru, onid oeddwn? Atebais na allwn i ddim, yn anffodus, ac eithrio rhai geiriau unigol. Ni ddeallwn ystyr y geiriau cyswllt. Cafodd Robert Parry ei eni ym 'Mryn Ffynnon', a hoffai Ron ddysgu mwy am hanes ei dŷ. Ymhen tipyn, gofynnodd imi: "Rwyt ti'n gwybod lle mae Llangwm, on'd wyt? Wyt ti'n gyfarwydd â'r bont gerllaw, gyda phlac ar ei hochr?" "Nac ydw," atebais, "ond dw i wedi darllen amdani, os mai Pont y Degwm, neu Pont y Glyn-diffwys, rwyt ti'n sôn amdani." "Wel, ie, mae'n debyg, a dyma gopi o'r arysgrif. Elli di ei hesbonio imi?" Darllenais yr arysgrif gydag anhawster mawr, ond roedd yn rhaid imi gyfaddef, unwaith eto, na allwn mo'i deall.

Roedd y profiad yn rhwystredig ofnadwy gan fy mod yn teimlo y dylwn allu deall, ond pan oeddwn yn byw yn Aberystwyth, doedd gen i ddim digon o amser i ganiatáu i mi astudio'r iaith, gwaetha'r modd. Penderfynais rŵan astudio'r iaith o ddifrif. Prynais lyfr ar 'Gymraeg Cyfoes'. Teimlwn yn rhwystredig unwaith eto pan ddarganfûm fod y cynnwys yn ddieithr imi. Cofiwn ddysgu, rhyw hanner canrif ynghynt, "yr ydwyf i" ac ati. Beth oedd y "dw i" yma? Sut oedd hi'n mynd i fod yn bosibl imi ddysgu ar fy mhen fy hun gyda phethau wedi newid fel 'na? Ac nid oedd neb erioed wedi bod yn barod i esbonio wrthyf sut i ddweud 'yes' neu 'no' yn Gymraeg. "Wel, mae'n dibynnu . . ." meddent. Doedd dim amdani ond ceisio hyfforddiant.

Mi ffoniais Goleg Celfyddyd a Thechnoleg Amwythig. Daeth yr ateb: "Ar hyn o bryd, nid oes dosbarthiadau Cymraeg, ond efallai yn y dyfodol y bydd." Gofynnais: "Os byddwch chi'n trefnu cwrs yn y dyfodol, pwy fydd y tiwtor? Oes rhywun y gallwn i ofyn iddo am wersi unigol?" "Efallai y gallai Carol Williams, Croesoswallt, eich helpu," atebodd y wraig.

Mi ffoniais Carol Williams, a chytunodd inni gyfarfod.

Gyda chryn bryder yr euthum i Groesoswallt. A fyddai hi'n rhywun y byddwn i'n gysurus â hi? Tybed a fyddai'n anfodlon fy nerbyn fel myfyriwr gan fy mod bellach mewn gwth o oedran? Roeddwn i'n bedwar ugain oed – yn rhy hen i ddysgu, doedd bosib?

Ond o'r cyfarfod cyntaf hwnnw, roeddwn i'n teimlo'n gysurus â Carol. Roedd hi'n groesawgar, yn llonydd ei hagwedd, yn dawel a hunan-hyderus. Ar ôl trafod fy mhrofiad, fy ngobaith, a'i dull hi o addysgu, teimlwn fy mod mewn dwylo sicr. Awgrymodd Carol imi ddysgu am dymor, ac ar ei ddiwedd y gallwn ail-feddwl os byddai angen. Daeth diwedd y tymor, a pharhawyd â'r gwersi. Lluniwyd y cwrs yn drylwyr ac yn fedrus gan Carol, a oedd yn brofiadol iawn fel athrawes Saesneg a Chymraeg. Roedd y cwrs yn bwyllog ac yn raddol, a chefais fy hun yn datblygu fy nealltwriaeth yn gynyddol.

Ymhen tipyn, â Carol wedi dechrau synhwyro fy niddordeb mewn llenyddiaeth Gymraeg, cytunodd â'm cais i ddod ddwywaith yr wythnos i Groesoswallt er mwyn imi allu astudio llenyddiaeth yn ogystal â gramadeg.

Peth arall diddorol oedd 'Cwis yr Haf', a gâi ei ailgynllunio bob blwyddyn gan Carol, sef rhestr o dri deg o gwestiynau ynglŷn â lleoedd a hanes. Euthum hwnt ac yma dros y wlad yn ystod gwyliau'r haf yn ceisio dod o hyd i wybodaeth guddiedig.

Doedd Pont Robert yn ddim mwy na lle ar y map imi pan awgrymodd Carol i mi fynychu Hen Gapel John Hughes ar gyfer 'Diwrnod y Dysgwyr', a oedd wedi ei drefnu gan Nia Rhosier. Euthum yno, un diwrnod o hydref, eto'n bryderus, a chefais groeso cynnes gan Nia a'r dysgwyr. Gwrandewais yn ofalus, ond heb ddweud dim. Ar ôl cinio, daeth Nia i ofyn imi a fyddai'n well gen i fynd efo dysgwr profiadol i astudio pethau llai anodd imi, gan y byddai hi'n trafod barddoniaeth wedyn. Rhaid fy mod wedi ymddangos yn eofn pan atebais: "Byddai'n well gen i aros gyda'r farddoniaeth, os gwelwch yn dda!" A felly y bu.

Mynychais sawl cyfarfod tebyg i ddysgwyr yn yr Hen Gapel, a chefais gyfle i ddysgu adrodd barddoniaeth, gan gynnwys cyflwyno 'Nant yr Eira' gan Iorwerth Cyfeiliog Peate yn Eisteddfod Genedlaethol Meifod 2003. Erbyn meddwl, y cyfarfod mwyaf diddorol imi oedd hwnnw a gynhaliwyd ar Fehefin 11eg 2005, a oedd yn trafod y pwnc llosg 'Cywiro – ai peidio?'. Gwrandawsom ar osodiad eglur a manwl, wedi ei gyflwyno gan Carol, o blaid cywiro'n fanwl, a dyfynnodd yn glir ei dadleuon. Ychwanegais innau fy meddyliau, o'm safbwynt fel cerddor, gan fod llawer o gyffelybiaethau rhwng iaith a cherddoriaeth, eu haddysgeidiaeth a'u hastudiaeth. Does dim amheuaeth y bydd drychfeddwl o'r angen i loywi iaith (neu gerddoriaeth), ac y mae'n amhosibl gloywi rhywbeth diffygiol. Yn y pen draw, yr ansawdd gorau posibl yw'r nodwedd priodol ar bob agwedd o iaith a cherddoriaeth. Daeth diwedd y cyfarfod cyn inni ddihysbyddu'r pwnc!

Ar hyn o bryd, Carol a Nia yw fy nhiwtoriaid ysbrydoledig. Gwyn fy myd gyda'u cefnogaeth, eu doethineb a'u hymddiriedaeth. Ni fydd pall ar fy ngwerthfawrogiad!

Pan oeddwn i ym 'Mryn Ffynnon' y tro diwethaf ym mis Awst 2003, ymwelais â Phrifysgol Bangor i drafod gydag Ann Jones, tiwtor yn yr Adran Dysgu Gydol Oes. Roedd gen i ddyhead y tu hwnt i'm disgwyl, ac roedd yn anodd ei ddigoni. Cytunodd Ann i'm derbyn fel myfyriwr. Felly daeth Ann yn drydydd arweinydd imi – a hithau hefyd yn bwrw llygad barcud dros fy ngwaith!

Cefais fy rhwystro, unwaith eto, yn Hydref 2003, pan ddaeth i'm sylw bod rhywbeth o'i le a'r f'ysgwydd dde. Aeth y boen o ddrwg i waeth, a hyd a lled y mater oedd bod angen ysgwydd newydd arnaf. Cefais lawdriniaeth lwyddiannus ym mis Ebrill 2004, ac ar ôl pedair wythnos, gallwn ailddechrau gyrru ac astudio yn llawn. Cefais ffisiotherapi gwych gyda Ruth Turner yn Amwythig, ac yna dechreuais wneud 'Pilates', dull o ymarfer corfforol a meddyliol buddiol dros ben, gyda Ruth yn diwtor medrus.

Canlyniad anochel heneiddio yw colli cyfoedion. Bu farw Dr Percy Young, ac roedd ei angladd ar yr ail ar bymtheg o Fai 2004, ac yntau'n ddeuddeg a phedwar ugain. Hefyd, bu farw fy hen gyfeilles ysgol, Joan, ysgolhaig mewn Ffrangeg, ar y pedwerydd ar ddeg o fis Hydref yn bump a phedwar ugain oed, a thrannoeth bu farw Mary Halstead, yn ddeuddeg a phedwar ugain. Fel hyn y collir cyfoedion.

Gan hynny, teimlwn y dylwn ailystyried fy mywyd fy hun. Efallai nad oes fawr o amser ar ôl – pwy a ŵyr? – ac yn ddiau dôi pob diwrnod yn fwy gwerthfawr na'r diwrnod cynt.

Ar ôl llawer o flynyddoedd, daeth i ben fy nghyfnod fel cerddor gweithredol, er fy mod yn mwynhau mynd i gyngerdd o dro i dro, o ddewis, mewn lle cartrefol, ac yn enwedig ymweliad â hen ffrindiau neu fyfyrwyr, fel y gwneuthum yn ddiweddar yng Ngŵyl Gregynog, Sir Drefaldwyn, 2005.

Nid oes gen i, mwyach, ddiddordeb mewn dulliau eraill o ddifyrrwch. Mae rhai ohonynt, yn fy mhrofiad i, yn codi dychryn arnaf. O'm rhan i, mae'r syniad o fynd ar fordaith arall yn gas gennyf, gan ei fod yn gyfyngiad ar gynllun a ddyfeisiwyd gan bobl eraill, ac arwydd rhwysgfawr o gyfoeth, glythineb, hunanfaldod a diogi. Dydw i ddim yn gymdeithasgar – ddim o gwbl! Mae'n well gennyf "rwyfo fy nghwch fy hun" – a byddai cwch yn fwy dymunol imi na llong enfawr!

Mae'n anhebygol y byddaf i'n mynd dramor yn y dyfodol beth bynnag. Aeth y dyddiau hynny heibio. Pan fyddwn i'n paratoi i deithio dramor, yn enwedig gyda fy nghar i Awstria, defnyddiwn gymaint ag y gallwn o'r iaith frodorol – y Ffrangeg heb drafferth a'r Almaeneg gydag anhawster. Felly, mae'n fwy defnyddiol imi ar hyn o bryd allu sgwrsio yn Gymraeg er mwyn gallu siarad yn fwy rhugl â phobl dros y Ffin, nid nepell o'm cartref, oherwydd dw i'n dal i grwydro i'r gorllewin o Amwythig i Gymru yn aml iawn. Byddai'n bosibl imi ddysgu yn gyflym ac yn arwynebol, heb fod â dim mwy nag ymadroddion llafar gwlad – ond byddai honno'n broses hunangyfyngedig, heb y gallu i ddatblygu. Byddai dull gweithredu fel hyn yn gas gen i!

Roedd gen i ddiddordeb eisoes – obsesiwn hyd yn oed – gyda geiriau. Dw i'n ymwybodol mai etifeddu hyn gan fy nhad a wneuthum. Er iddo adael yr ysgol yn dair ar ddeg oed, ym 1896, i weithio mewn ffatri, ymunodd â dosbarthiadau nos er mwyn astudio arlunio peirianyddol, a mathemateg, ond hefyd farddoniaeth. Dw i'n cofio ei agwedd at berffeithrwydd mewn ysgrifen, sillafu a gramadeg, ac yn enwedig mewn iaith lafar, a'i ddiffyg goddefiad tuag at bob math o anghywirdeb. Credai fod diffyg manylder yn peri gwastraff amser; roedd o'n annioddefgar o wastraff o'i amser ei hun gan bobl eraill, ac roedd yn ei hystyried yn ddyletswydd i beidio â gwastraffu amser rhywun arall. Pa ryfedd, felly, fy mod innau'n obsesiynol ynglŷn â geiriau a pherffeithrwydd!

Gan hynny, ar doriad yr unfed ganrif ar hugain, a minnau gyda mwy o amser rhydd nag erioed, llawenydd imi oedd gallu ymroi i'm ysfa ddwfn i astudio'r iaith Gymraeg o ddifri heb ymyrraeth! Mi glywaf lais pell yn fy mhen: "Rho'r llyfr 'na i lawr, da ti, a gwna rywbeth gwerth ei wneud!" ond mi allaf ateb rŵan: "Na 'na! Does dim ond un peth gwerth ei wneud ar hyn o bryd, ac mae'n rhaid imi wrando ar fy nghalon!"

Mae fy nhiwtoriaid tirion yn ymwybodol o'm dyhead didwyll a diatal, a'r ysfa gref sy'n parhau i losgi tu mewn imi, a rhoddant fwy i gynnal y fflamau. Maent yn ymwybodol hefyd o'm cred: "Nid da lle gellir gwell". Ond, fel y dywedodd Medwyn Williams o Fôn, y tyfwr llysiau, ynglŷn â'i lwyddiant yn y 'Chelsea Flower Show' yn 2005: "Ymlafuriaf tua pherffeithrwydd, ond bodlonaf ar ragoriaeth."

Mae ysfa o'r fath yn hunangynhyrchiol, ac yn debyg o bara am oes. Serch y byddaf yn anochel yn ddysgwr hyd ddiwedd f'oes, gobeithiaf y daw adeg pan allaf gyfrannu rhywbeth i'r Cymry, fel gwerthfawrogiad o'u hamser, eu cynghorion a'u hanogaeth hael ddiatal trwy gydol f'astudiaeth. Po fwyaf yr astudiaf, y mwyaf sy'n ymddangos ar y gorwel. Yn ôl Robert Browning (1812-1889): "dylai ymgyrhaeddiad dyn estyn tu hwnt i'w afael." Rhywle, yn guddiedig yn yr iaith hon, mae grym sy'n gorfodi imi fynd ymlaen er mwyn treiddio ei dirgeledigaethau.

Petawn i ond wedi manteisio ar gyfleoedd a gyflwynwyd imi hanner canrif yn ôl! Pa ryfedd, felly, ei bod hi'n edifar gen i fy mod i wedi caniatáu i'r cyfleoedd fynd heibio heb gael unrhyw effaith arnaf – mater o ddigalondid imi rŵan. Ond ydy hynny'n hollol wir? Efallai fod fy meddyliau'n afresymol: mae cof gennyf nad oeddwn i mor barod i fanteisio ar gyfleoedd bryd hynny ag yr ydwyf erbyn heddiw.

O ble daeth y teimlad ei bod hi'n hollol angenrheidiol imi ddysgu Cymraeg rŵan? Ymddengys fod edau fain gref wedi parhau gydol yr amser: yr arfer o glustfeinio.

Yn y pumdegau, gwrandawn yn astud ar bob sŵn – yn enwedig synau'r lleisiau Cymraeg o'm cwmpas yn Aberystwyth. Pwysig a mwy deniadol imi oedd synau sgyrsiau Cymry Cymraeg. Gallaf edrych a gwrando rŵan yn fy meddwl ar T H Parry-Williams, yn eistedd ar draws bwrdd te prynhawn Dydd Sul ym 'Mro Gynin' (cartref Syr Idris a'r Fonesig Bell lle roeddwn i'n byw yr amser honno), gyda'i agwedd effro a'i lais bythgofiadwy, dwfn a thawel.

Dw i wedi darllen fod T H Parry-Williams yn arfer torri llythrennau ei enw â chyllell boced finiog ar bren mewn llawer o leoedd. Ond doedd dim modd iddo wybod ei fod o wedi gwneud argraff arall – un ddofn ar f'enaid; argraff a oedd yn ddigon i ofalu'n dyner dros synau Cymraeg a'm gorfodi i astudio'r iaith Gymraeg o ddifrif hanner canrif yn ddiweddarach, pan yw fy meddwl wedi dod yn fwy profiadol a pharod i'w deall!

A glywaf "Dal ati!" unwaith eto? Does dim dianc na dewis i mi. Dw i'n hollol dan gyfaredd yr iaith a'i llenyddiaeth. Dw i am ddal ati hyd yr adeg pan na fydd dim mwy yn fy wynebu

"Ond llithro i'r llonyddwch mawr yn ôl."

No, I Live Here

Sylvia Jones

THIS TRUE-LIFE ROMANCE interspersed with travel vignettes is unusual – if not unique! An autobiographical account of Sylvia Jones's three-month stay in beautiful Conwy in North Wales, which led to a deeper friendship with a local man.

The author shares her enthusiasm for Welsh scenery and history in a book that can be used as a casual guidebook, an armchair travel book, or simply as a charming tale in its own right.

£6.95 ISBN 086243 858 6

You Don't Speak Welsh!

Sandi Thomas

SANDI THOMAS SHARES her love-hate relationship with the Welsh language. Follow her day to day struggle in this revealing book that also gives a fascinating insight into the people and culture of wales.

£5.95 ISBN 086243 585 4

dinas

A Greek Flat-pack	**Eva Goldsworthy** £5.95
Of Boys, Men and Mountains	**Roy Tomkinson** £6.95
Nantybar	**Beryl Richards** £5.95
Dewi the Dragon	**Christie Davies** £4.95
No, I live here	**Sylvia Jones** £6.95
A Song for Owain	**Rhys Parry** £5.95
Dylife	**Michael Brown** £9.95
Yesterday's Tomorrow	**Alun Rees** £5.95
Manawl's Treasure	**Liz Whittaker** £5.95
Shapeshifters at Cilgerran	**Liz Whittaker** £5.95
The Fizzing Stone	**Liz Whittaker** £5.95
Germs	**Dai Vaughan** £5.95
With Madog to the New World	**Malcolm Pryce** £5.95
Tales of Centrix	**Pearl McCabe** £5.95
When the Kids Grow Up	**Ken James** £6.95
Cunval's Mission	**David Hancocks** £5.95
On the Other Hand	**Jean Gill** £5.95
The Janus Effect	**Alan Cash** £6.95
A Leather Dog Collar	**Charles Stallard** £5.95
The Chalk Bandit	**Doreen Howels** £5.95
A Dragon To Agincourt	**Malcom Pryce** £7.95
Aberdyfi: Past and Present	**Hugh M Lewis** £6.95
Aberdyfi: The Past Recalled	**Hugh M Lewis** £6.95
Ar Bwys y Ffald	**Gwilym Jenkins** £7.95
Black Mountains	**David Barnes** £6.95
Dragonrise	**David Morgan Williams** £4.95
In Garni's Wake	**John Rees** £7.95
Stand Up and Sing	**Beatrice Smith** £4.95
The Dragon Wakes	**Jim Wingate** £6.95

For more information about this innovative imprint, contact Lefi Gruffudd at lefi@ylolfa.com or go to www.ylolfa.com/dinas.
A Dinas catalogue is also available.